KU-685-990

Na podstawie książek Gilberta Delahaye'a i Marcela Marliera
opowiada Liliana Fabisińska

Papilon

Nasze książki kupisz na:

PUBLICAT.PL

Tytuł oryginału – *Martine est malade*
Ilustracje – Marcel Marlier
Redaktor prowadzący – Anne-Sophie Tournier
Redakcja – Anne-Sophie Pawlas
Redakcja serii – Patricia Tollia – pages de France
Autor stron dodatkowych – Mireille Fronty
Opracowanie graficzne – Céline Julien

Redakcja i korekta wersji polskiej – Anna Belter, Eleonora Mierzyńska-Iwanowska
Opracowanie graficzne wersji polskiej i okładki – Elżbieta Baranowska, Marek Nitschke

Martine est malade, książka stworzona przez Gilberta Delahaye'a
i Marcela Marliera/Léaucour Création
Oryginalne wydanie w języku francuskim © Casterman
© Editions Atlas (layout and the documentary leaflet)
Wydanie polskie © Publicat S.A. MMXII, MMXV

Wszelkie prawa zastrzeżone. Książka zawiera materiał chroniony prawem autorskim.
Każde bezprawne użycie materiału z książki jest zabronione. Żadna część tej publikacji nie może być przedrukowywana ani reprodukowana w jakiejkolwiek formie, tj. elektronicznej lub mechanicznej, fotokopiowana i rejestrowana, także w systemach przechowywania i wyszukiwania, bez pisemnej zgody Autora/Wydawcy.

Opublikowano na mocy umowy z Editions Casterman

ISBN 978-83-245-9784-0

Papilon

jest znakiem towarowym Publicat S.A.

PUBLICAT S.A.
61-003 Poznań, ul. Chlebowa 24
tel. 61 652 92 52, fax 61 652 92 00
e-mail: papilon@publicat.pl
www.publicat.pl

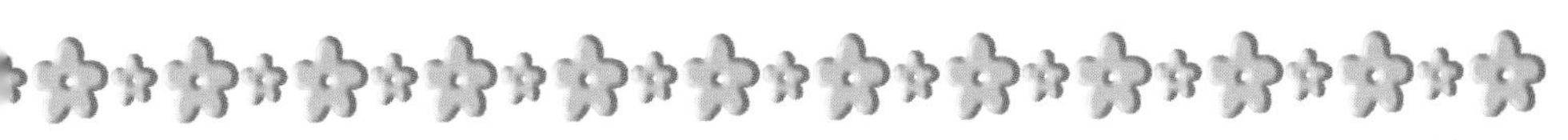

ROZDZIAŁ 1

Wszędzie biało

Zima przyszła w grudniu, jak zwykle. Powietrze zrobiło się lodowate, ludzie przewracali się na zamarzniętych kałużach, ale śniegu wciąż nie było widać. Minęły święta, minął Nowy Rok, styczeń i kawałek lutego… Aż wreszcie, ostatniej nocy, całe miasto przykrył biały puszysty dywan. Jest ciszej niż zwykle, w tym puchu nawet silniki samochodów jakby hałasowały delikatniej…

– Znowu zaczyna padać! Do wieczora zasypie wszystko! – wołają dzieci, podziwiając w drodze do szkoły bajkowy krajobraz.

Na lekcjach trudno im się skupić. Co chwila zerkają przez okno na wirujące w powietrzu gęste płatki śniegu.

Martynka także wpatruje się w nie jak zahipnotyzowana.

– Moi drodzy, jesteśmy w klasie! – przypomina nauczycielka. – Po lekcjach pójdziecie porzucać śnieżkami albo ulepić bałwana. Ale teraz zajmijcie się matematyką!

Uczniowie pochylają się nad zeszytami, lecz gdy tylko rozlega się dzwonek, rzucają się do okien.

– Wybierzmy się na sanki! – woła Marcin. – Spotkajmy się o trzeciej w parku obok górki.

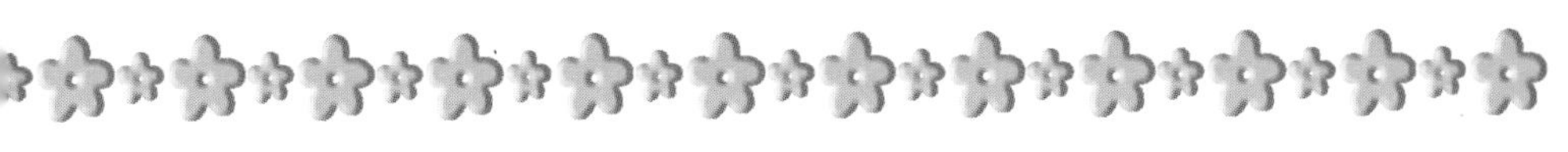

– Rodzice mi nie pozwolą – wzdycha Jola.

– Spokojnie, ta górka wcale nie jest stroma! – uśmiecha się Marcin. – I przecież nie będziemy sami, pójdzie z nami moja mama. Dziś wraca wcześniej z pracy, na pewno uda mi się ją przekonać, żeby nam towarzyszyła.

– Słuchajcie, może urządzimy wielką bitwę na śnieżki? – proponuje Jacek. – Co wy na to? Podzielimy się na dwie drużyny i...

– Super! Tak, zróbmy to! – krzyczą jeden przez drugiego.

– A może... – Martynka ma jeszcze inny pomysł, ale dzwonek przerywa jej w pół zdania. Trzeba wracać do klasy i przetrwać jeszcze jakoś dwie godziny.

– Nic z tego nie będzie – stwierdza w końcu nauczycielka, patrząc na uczniów, którzy zachowują się, jakby zapomnieli, jak się pisze i liczy. – Bardzo długo czekaliście w tym roku na śnieg, więc spakujcie swoje rzeczy, idziemy do parku! Ulepimy bałwana.

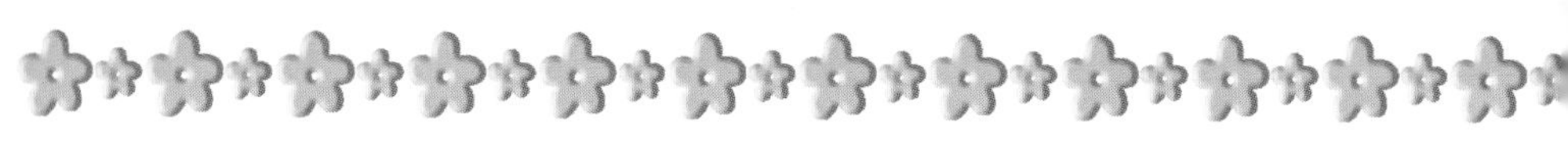

– Hurra! Super!

– Dziękujemy!

– Jest pani kochana!

W klasie nagle robi się wesoło. Wszyscy skaczą, piszczą i przepychają się do drzwi.

– Tylko nie zapomnijcie o włożeniu czapek, szalików i rękawiczek. Jest naprawdę zimno! – upomina ich wychowawczyni. I przed wyjściem sprawdza, czy pozapinali kurtki.

Czas na zabawie mija błyskawicznie. Nauczycielka dzieli dzieci na drużyny, każda z nich toczy wielką kulę. Po dwudziestu paru minutach między drzewami stoi ogromny bałwan. Trzeba go jeszcze udekorować.

– Zróbmy mu oczy! – woła Kuba. – Najlepiej z węgielków, tylko skąd je wziąć?

– I przydałby mu się nos! – mówi Iza. – Ale co mogłoby posłużyć za nos, skoro nie mamy marchewki?

Na szczęście wychowawczyni potrafi zaradzić tym trudnościom.

Jeszcze pańska fajka, panie bałwanie!

– Poszukajcie dwóch małych ciemnych kamieni pod drzewem, gdzie nie napadało tyle śniegu – podpowiada. – O, proszę, oczy już są. A nos… nad nosem pomyślimy za chwilę. Na razie zrobimy bałwanowi czuprynkę.

Nauczycielka podchodzi do krzewu, opatulonego przez ogrodnika, żeby nie zamarzł podczas największych mrozów, i ostrożnie wyciąga z tego ciepłego kubraczka dwa długie źdźbła słomy. A potem składa je na kilka kawałków i łamie. I już, włosy gotowe.

– Zrób mu elegancką fryzurkę – mówi do Martynki.

Martynka układa sztywne włosy równo wokół bałwaniej głowy. Dobrze wyglądałaby jeszcze grzywka nad czołem, ale dziewczynka nie chce zabierać więcej słomy. Krzew został nią przecież otulony po to, żeby bezpiecznie przetrwać zimę. Nie można go narażać. Więc może kapelusz? Albo chociaż beret?

Nagle nauczycielka wyjmuje z torby kilka rzeczy: stary filcowy kapelusz, szalik z pomponami i kawałek grubego czerwonego materiału.

– Skąd pani to wzięła? – Martynka szeroko otwiera oczy ze zdumienia.

Nauczycielka zaczyna się śmiać.

– W pokoju nauczycielskim stoi szafa. Trzymamy w niej różne przedmioty na wszelki wypadek – wyjaśnia. – Zapasowe nożyczki i klej, jeśli jakiś uczeń zapomni zabrać je z domu, resztki wełny, które można wykorzystać na plastyce... Kiedy się ubieraliście, znalazłam tam parę drobiazgów. Pomyślałam, że mogą się przydać bałwanowi. Marchewki nie było, ale jeśli odpowiednio wypchamy śniegiem ten kawałek czerwonej szmatki, powstanie całkiem niezły kulfoniasty zamiennik.

– Mogę spróbować? – Martynka robi ze śniegu małą kulkę i owija ją materiałem. A potem mocuje nos między oczami bałwana.

– Bardzo przystojny – kiwa głową z uznaniem wychowawczyni.

– Martynko, mam dla niego coś jeszcze! – Jola biegnie co tchu z patykiem w dłoni, który z daleka wygląda zupełnie jak fajka. Jola rysuje bałwanowi szeroki uśmiech, a Martynka uważnie wbija w niego fajkę.

– Nie będziesz się nudził – uśmiecha się. – Zresztą przyjdę do ciebie znowu, jak tylko odrobię lekcje, obiecuję!

– Ja też zajrzę – mówi Jola. – Może stoczymy bitwę na śnieżki?

– Będę tu z mamą o trzeciej – kiwa głową Michał.

– A ja… ja niestety dopiero o czwartej, bo po lekcjach mam wizytę u ortodonty – wzdycha Piotrek. – Poczekacie na mnie?

– Będziemy się bawić do wieczora, nie martw się – pociesza go Martynka. – Musimy wykorzystać ten śnieg, prawda? Nie wiadomo przecież, czy jutro nie stopnieje…

ROZDZIAŁ 2

Martynko, załóż czapkę!

Martynka wypada z pokoju, trzaskając drzwiami.
– Mamo, odrobiłam już lekcje i idę z pieskiem na spacer! – woła. – No… na trochę dłuższy spacer. Ale będziesz nas widziała przez okno.

– Chcesz lepić bałwana? – domyśla się mama, zerkając znad komputera. – Ale przecież dziś już jednego ulepiłaś razem z całą klasą. Wróciłaś przemoczona, nawet skarpetki musiałaś zmienić. I buty masz całe mokre…

– Wezmę drugie buty – uśmiecha się Martynka. – Umówiłam się z Jolą, i z Marcinem, i z Piotrkiem… Marcin obiecał, że jego mama też przyjdzie i będzie

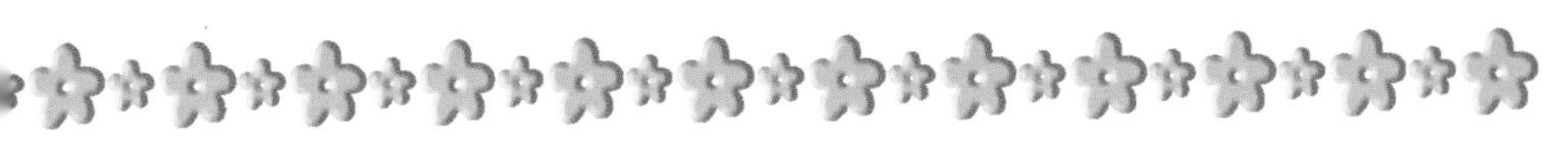

nas pilnować. Chcemy urządzić bitwę na śnieżki. Mamo, proszę, pozwól mi iść!

– Dobrze, idź – mówi mama. – Ale ubierz się trochę cieplej!

Martynka jednak już nie słyszy. Zbiega po schodach z szalikiem i czapką w ręku. Piesek, uradowany, pędzi za nią.

– Załóż ten szalik! Zapnij kurtkę! – woła mama przez okno.

Bez skutku.

Martynka nie czuje mrozu. Bawi się fantastycznie. Nie tylko gra w śnieżki, ale też toczy wielkie śniegowe kule na kolejnego bałwana. Bo przecież ten, którego ulepili z całą klasą, nie może stać tak samotnie.

– Dolepimy mu kolegę! – proponuje Marcin.

– Albo żonę! – wymyśla Iza.

– Żonę i dzieci – śmieje się Jola.

Robią więc całą bałwanią rodzinkę. Martynka nie czuje nawet, że zesztywniały jej palce. Kto by zwracał na to uwagę podczas takiej świetnej zabawy!

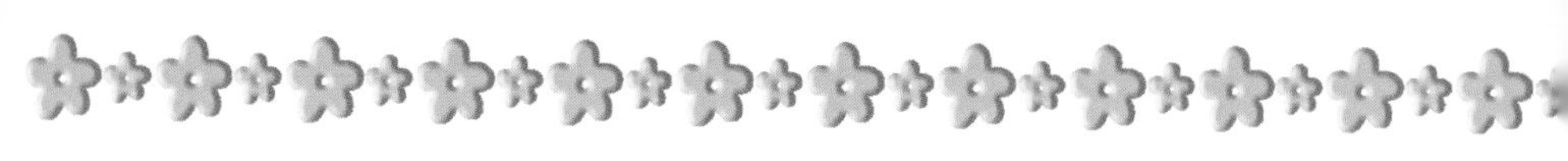

– Hau, hau! – Piesek bardzo chce pomóc, ale jego krótkie nóżki zapadają się co chwila w głęboki śnieg. Martynka bierze go na ręce i razem toczą następną kulę.

– Martynko, nie zdejmuj kurtki – ostrzega dziewczynkę mama Marcina. Ale Martynka kręci tylko głową i odkłada kurtkę i szalik na ławkę. Jest jej naprawdę gorąco!

– Piesku, gdzie się podziałeś? – rozgląda się nagle dziewczynka. No tak, pobiegł pod wielki dąb przez najgłębszy śnieg i teraz nie może wrócić. Martynka idzie po niego. Nie czuje nawet, że śnieg wsypuje jej się do butów, a skarpetki stają się momentalnie mokre.

– Zrobimy orła? – woła Piotrek.

Wszyscy leżą na śniegu i machają rękami, by stworzyć skrzydła. Ciekawe, czyje będą najpiękniejsze?

– Martynko, natychmiast włóż kurtkę! – krzyczy przez okno mama.

Ale dzieci śmieją się tak głośno, że nie słyszą jej głosu.

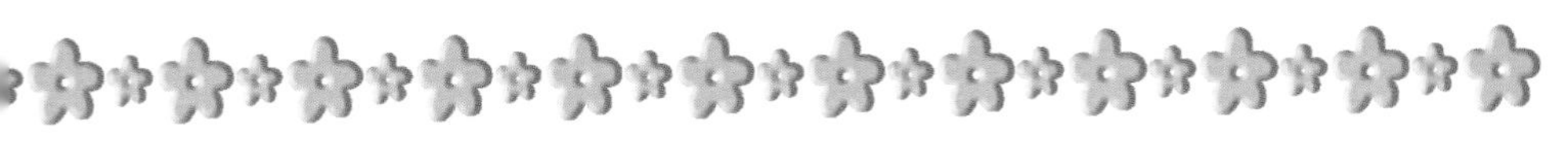

Mama wzdycha ciężko, wkłada kurtkę, czapkę i szalik i rusza do parku. Nie może pozwolić, by jej córeczka tarzała się w śniegu w samym swetrze!

– Jesteś cała mokra. Idziemy do domu – mówi zdecydowanym tonem, pomagając Martynce otrzepać się ze śniegu.

– Ale zaraz ma przyjść Jacek z sankami – protestuje Martynka. – Chcę trochę pojeździć!

Mama jest jednak niewzruszona. Martynka nie może zostać ani chwili dłużej, bo ma mokre ubranie. I przez cały ten czas nie miała na sobie szalika, czapki ani rękawiczek!

– Ja też muszę wracać do domu – pociesza ją Jola. – Pojeździmy na sankach jutro...

– Coś czuję, że jutro Martynka będzie leżeć w łóżku, zamiast jeździć na sankach – wzdycha mama.

Martynka już w połowie drogi do domu zaczyna szczękać zębami z zimna. Dopiero teraz czuje, że jej palce, nos i uszy są jak sopelki lodu, a do butów nawpadało śniegu, który już dawno zamienił się w wodę. Z jej włosów też kapią krople wody.

– Rozbieraj się i wchodź do wanny – mówi mama, przygotowując córeczce kąpiel. A potem powtarza kilka razy, że zimą nie wolno chodzić bez czapki, szalika i rękawiczek. I że trzeba mieć suche buty i skarpetki, bo w mokrych człowiek natychmiast się przeziębia.

– Zupełnie o tym nie pomyślałam – przyznaje Martynka. – Tak wspaniale się bawiłam i naprawdę było mi cały czas ciepło.

– W tym właśnie tkwi problem – kiwa głową mama. – Nie czujesz zimna, nie myślisz o temperaturze, a potem...

– A psik! – Martynka przerywa mamie w pół zdania.

Po kwadransie spędzonym w ciepłej wodzie skóra Martynki się ogrzała, ale ona wcale tego nie czuje. Cały czas się trzęsie, zupełnie jakby wannę wypełniał lód.

Mama energicznie wyciera ją ręcznikiem. A potem mówi:

– Wskakuj pod kołdrę – i podaje córeczce gorący termofor. Martynka przytula się do niego, ale wciąż nie może się rozgrzać. Po chwili z pracy wraca tata i natychmiast zaparza herbatę z malinami.

– Moja babcia zawsze powtarzała, że nic nie rozgrzewa tak dobrze jak gorący sok z malin – wyjaśnia.

Martynka kiwa głową. Wreszcie przestała się trząść! Przynajmniej na chwilę.

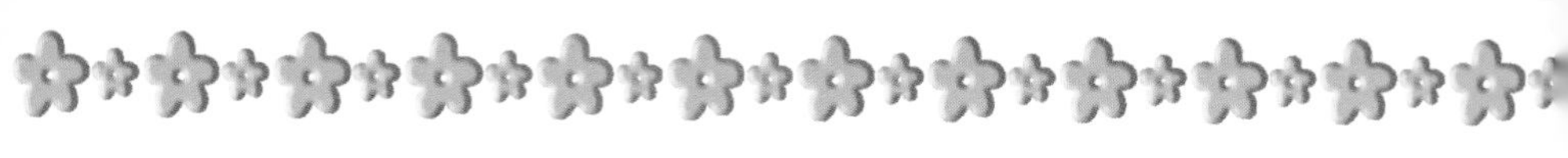

– Chyba pójdę spać – mówi. – Wiem, że jest jeszcze wcześnie, ale czuję się bardzo zmęczona…

– Sen to najlepsze lekarstwo – uśmiecha się mama. – Chociaż i tak obawiam się, że jutro będziesz chora.

– Może zrobię ci, kochanie, jeszcze gorące mleko z miodem? – proponuje tata.

Ale Martynka już go nie słyszy. Odpływa w krainę snu, gdzie nareszcie odczuwa przyjemne ciepło.

ROZDZIAŁ 3

Gorączka

Niestety, mama miała rację. Następnego dnia Martynka nie może wstać z łóżka. Czuje się zmęczona i bardzo, bardzo słaba. Patrzy na zegarek i wie doskonale, że powinna się już ubrać i zjeść śniadanie, żeby nie spóźnić się na pierwszą lekcję, a jednak nie jest w stanie się podnieść. Przytula głowę do poduszki.

– Poleżę jeszcze chwileczkę, mamusiu – mruczy i zamyka oczy.

Otwiera je – jak jej się zdaje – dosłownie minutę później. Ale co to? Zegar wskazuje już jedenastą!

– Mamo, dlaczego mnie nie obudziłaś? – woła. A raczej próbuje wołać, bo z jej gardła wydobywa się jedynie dziwne skrzypienie.

Mama uśmiecha się tylko smutno i kładzie jej rękę na czole.

– Mamusiu, ty nie jesteś w pracy? – Martynce wyraźnie coś się nie zgadza. Chce wstać z łóżka i spakować tornister. Chyba zdąży przynajmniej na angielski i WF? Nie może jednak usiąść, tak strasznie kręci jej się w głowie.

– Zmierzymy gorączkę – mówi łagodnie mama i podaje jej termometr.

– A co ze szkołą? – denerwuje się Martynka. – Ja przecież muszę…

– Już dzwoniłam do sekretariatu, powiedziałam, że jesteś chora – mówi mama spokojnie.

– Ale ja wcale nie jestem… – Martynka próbuje jeszcze raz usiąść na łóżku, ale znów zawroty głowy każą jej się położyć i zamknąć oczy. Wzdycha. – Masz rację, mamusiu. Chyba jestem chora.

Czuje się tak, jakby ktoś wrzucił jej do gardła pudełko szpilek albo papier ścierny. Nie może przełykać śliny. No i te okropne dreszcze…

– Ogrzewanie się zepsuło? – pyta.

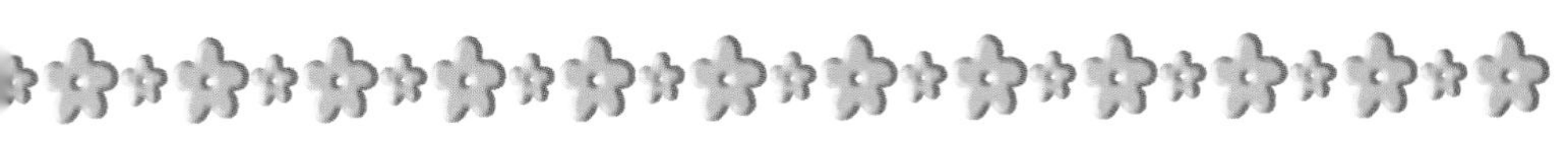

A mama bez słowa otula ją kołdrą i podaje kubek gorącej herbaty z miodem i cytryną.

Potem wyjmuje jej termometr spod pachy i patrzy na niego z bardzo poważną miną. Wychodzi z pokoju na kilka chwil, a gdy wraca, przynosi jej do łóżka miskę owsianki.

– Jak dobrze, że to owsianka – uśmiecha się słabo Martynka. Nie może sobie nawet wyobrazić przełykania twardych kawałków chleba. Zjada swoją kaszkę, nie czując smaku i znów opada na poduszki.

A oczy same jej się zamykają.

Budzi się późnym popołudniem. A właściwie budzi ją mama, która mówi:

– Chyba połowa twojej klasy stoi pod naszym oknem…

Martynka z wysiłkiem wstaje z łóżka, zakłada szlafrok i kapcie i podchodzi do okna.

Dzieci machają do Martynki rękoma w kolorowych rękawiczkach i wołają:

– Chodź do nas!

– Zobacz, jaka fajna dziś pogoda. Słońce nieźle grzeje! Nie wygłupiaj się z tym siedzeniem w domu.

– No chodź, nie daj się prosić! Mamy tu sanki!

– Czy to prawda, że jesteś chora? Co ci się stało?

Dziewczynka wie, że nie powinna otwierać okna, pokazuje im więc na migi, że boli ją gardło i głowa, że ma katar, a w dodatku okropnie jej zimno.

– Zmierzymy jeszcze raz temperaturę – mówi mama. – Mam nadzieję, że trochę spadła…

Niestety, gorączka jest jeszcze wyższa niż rano. A Martynka czuje, że musi znów się położyć, bo strasznie kręci jej się w głowie. Ale najpierw powinna załatwić jeszcze jedną ważną sprawę.

– Mamusiu, przekaż Iwonce, żeby nie chodziła bez szalika i czapki – prosi. – Widziałam przez okno, że nie ubrała się jak należy. Powiedz jej, że się rozchoruje, jak ja.

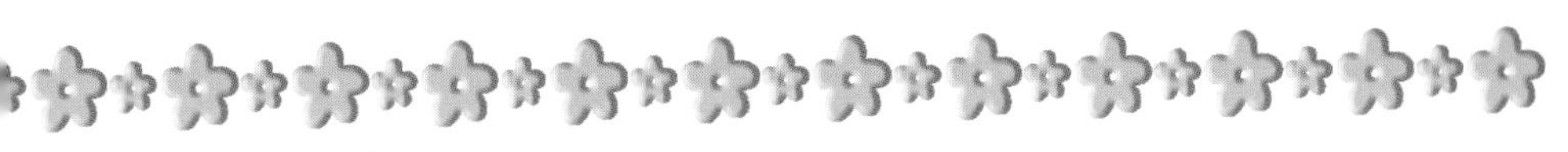

Mama otwiera okno w drugim pokoju i woła do Iwonki:

– Ubierz się, jeśli nie chcesz leżeć przez dwa tygodnie w łóżku! To wiadomość od Martynki!

Iwonka kiwa głową i biegnie do ławki, na której położyła kurtkę, szalik i czapkę.

Mama odchodzi od okna i podnosi słuchawkę, żeby zatelefonować do lekarza.

– Panie doktorze, moja córeczka jest chora – mówi. – Ma ponad trzydzieści dziewięć stopni gorączki. Przemokła i przemarzła wczoraj w czasie zabawy z dziećmi. Słucham? Ależ tak, oczywiście, że leży w łóżku. Niestety, nie chce nic jeść. Tak, pije. Wiem doskonale, że przy gorączce trzeba dużo pić. Zaparzyłam jej właśnie herbatę z tymiankiem, żeby złagodzić ból gardła. To stary przepis mojej babci. Co takiego? Pan też zaleca pacjentom tymianek? Stare sposoby często okazują się najlepsze, a zioła naprawdę mogą zdziałać cuda. Słucham? Tak, dobrze, będziemy mierzyć gorączkę co cztery godziny. Jeśli nie spadnie do jutra, poprosimy pana o wizytę. Dziękuję serdecznie, do widzenia, doktorze.

Mama wchodzi do pokoju z kubeczkiem parującej herbaty i książką z bajkami, które lubi Martynka.

Ale ona nie potrzebuje teraz ani herbaty z tymiankiem, ani książki. Znowu zapadła w głęboki sen.

ROZDZIAŁ 4

Dziwny sen

We śnie Martynka przenosi się do dziwacznego, zasypanego śniegiem lasu. Nie widać tu żadnych ludzi, żadnych stworzeń. Nie ma ani jednego śladu stóp czy łap na śniegu. Żadnych drogowska-

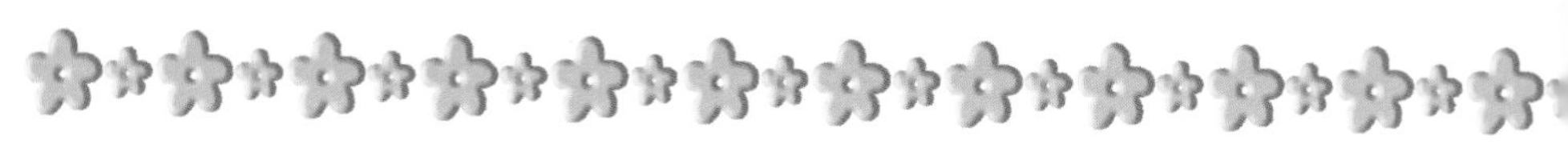

zów. Martynka wie, że się zgubiła, ale jakimś sposobem wcale nie czuje strachu. Dziwne, prawda? Ale jeszcze dziwniejsze jest to, że chodzi po lesie w koszuli nocnej i kapciach, bez szalika, czapki, kurtki... i ani trochę nie zmarzła!

„W lewo czy w prawo?" – mówi do siebie dziewczynka. Rzuciłaby monetą, ale nie ma monety, musi więc podjąć decyzję sama.

„Spróbuję w lewo – postanawia. – Zrobię dziesięć kroków i jeśli nie zobaczę nic ciekawego, zawrócę i pójdę w prawo".

Po zaledwie sześciu krokach drzewa rozstępują się i Martynka wychodzi z gęstwiny na polankę. Przed jej oczyma, w oddali, pojawia się zamek jak z baśni. Ze strzelistymi wieżami, wybudowany na stromej skale. Martynka bez wahania rusza w jego stronę.

Przykłada dłonie do oczu, udając, że patrzy przez lornetkę i... czy to możliwe? Obraz naprawdę się przybliża! Przez dziurki między złożonymi w kółka palcami widzi wyraźnie, że w stromej skale wykute

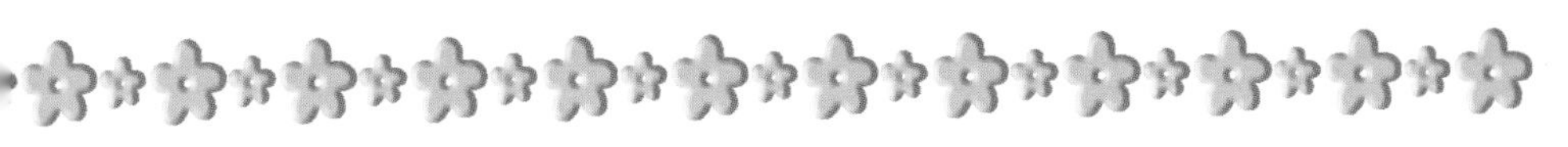

są schody. Dziewczynka biegnie więc przed siebie z nadzieją, że w zamku spotka kogoś, kto pomoże jej się wydostać z lasu i wrócić do domu.

Biegnie tak i biegnie... Jest już spocona, brakuje jej tchu. A zamek stoi wciąż tak samo daleko jak przedtem.

„Czyżby był zaczarowany? – zastanawia się Martynka. – Może ktoś rzucił na niego zaklęcie i żaden człowiek nigdy nie dotrze do zamkowych wrót, choćby biegł przez siedem dni i siedem nocy?"

Zatrzymuje się, by trochę odpocząć... i nagle czuje, że ktoś kładzie jej rękę na ramieniu. Martynka zastyga w bezruchu, przerażona. Może to ta czarownica, która rzuciła zaklęcie na zamek? Próbuje zobaczyć, czyja to ręka, nie odwracając głowy. Spodziewa się potwornej dłoni z długimi palcami i zakrzywionymi, czarnymi paznokciami. Ale zamiast niej widzi pulchną rączkę ze śniegu.

Odwraca się i staje oko w oko z wielkim bałwanem, który uśmiecha się szeroko i uchyla na powi-

tanie rondo kapelusza,
spod którego wystają sztywne,
jasne włosy sterczące we wszystkie strony jak słoma.

„Skąd ja go znam?" – zastanawia się Martynka.

Oczy bałwana są zimne jak kamień, ale wpatrują się w nią uważnie i nieco figlarnie.

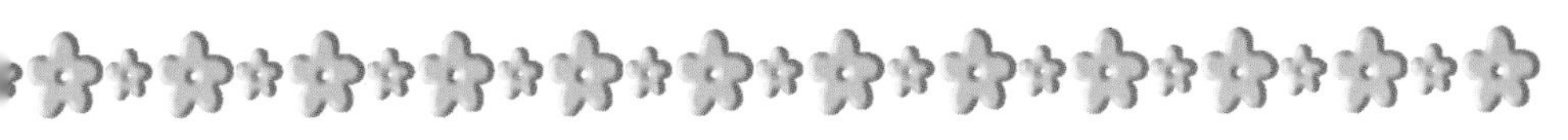

Nagle, nie wiadomo skąd, zaczyna płynąć muzyka. Melodia, którą Martynka pamięta doskonale, choć nie może sobie przypomnieć, gdzie ją słyszała.

Bałwan wyciąga rękę w stronę Martynki.

– Prosisz mnie do tańca? – śmieje się dziewczynka. – Hmm, oto wspaniały zamek, i książę... Trochę nietypowy, ale co tam, moja suknia balowa też jest dziś niezwykła. A więc prowadź mnie, mój książę! Przetańczmy razem całą noc!

Wirując w śniegowych ramionach niezwykłego partnera, Martynka zauważa drugiego bałwana trzymającego skrzypce w swych krótkich rączkach. To on tak pięknie gra walca!

Po chwili dziewczynka przypomina sobie malutką pozytywkę, którą dostała od cioci na urodziny, dwa albo trzy lata temu. Gdy otwiera się jej wieczko, mała baletniczka w środku pudełka zaczyna się kręcić w kółko, a gdzieś spod jej stóp cichutko płynie walc. Ten sam, którego teraz Martynka tańczy w ramionach bałwana.

Ale co to? Czy tylko jej się zdaje, czy melodia zaczyna przyspieszać? Śniegowy skrzypek gra coraz szybciej i szybciej, a Martynka niemal nie nadąża ze stawianiem małych kroczków. Chyba mechanizm pozytywki musiał się zaciąć! A ona jest tą dziewczynką, baletnicą tańczącą w pudełku. Nie może stanąć, dopóki nie ucichnie melodia.

– Przestańcie! – woła bliska łez. – Kręci mi się w głowie! Chcę wrócić do domu!

Nagle rozlega się szczekanie psa.

– Skąd się tu wziąłeś? Szukałeś mnie? Mamusia cię przysłała? – Martynka próbuje zobaczyć swojego jamniczka, ale świat wiruje jej przed oczyma w tym szalonym tańcu.

– Hau, hau! – Piesek szczeka jeszcze głośniej. I… czy to możliwe? Czy to on zatrzymał rozpędzoną pozytywkę? Muzyka zwalnia i cichnie, bałwan puszcza dłoń Martynki, a zamek znika, jakby rozpuściły go nagle promienie wschodzącego słońca.

Jak dobrze, że to był tylko sen!

– Obudź się, kochanie – mówi mama, a piesek i kotek siedzą na kołdrze i łaszą się do Martynki.

– To był tylko sen? – wzdycha Martynka. – Myślałam, że już nigdy nie wydostanę się z tego lasu…

– Krzyczałaś „Przestańcie!", pomyślałam więc, że nie chcesz dłużej śnić tej historii i cię obudziłam.

– Dziękuję, mamusiu – uśmiecha się Martynka. – Nie znoszę tańczyć z bałwanem, nawet takim miłym i uśmiechniętym.

ROZDZIAŁ 5

Dzień dobry, panie doktorze!

Martynka po wypiciu herbaty znów powoli zapada w sen. Tym razem na szczęście bez bałwanów, tajemniczych zamków i muzyki, która nie chce ucichnąć. Śpi spokojnie, z lekkim uśmiechem na rozpalonej gorączką buzi. Budzi ją dopiero dzwonek do drzwi.

– Dzień dobry, panie doktorze! – woła mama.

Martynka siada na łóżku. Doskonale zna tego lekarza. Zajmuje się ich rodziną od wielu lat. Jest bardzo miły i od razu widać, że kocha swoją pracę. A do tego bardzo lubi dzieci.

– Jak się czuje moja mała pacjentka? – pyta, otwierając swój czarny kuferek ze złotym zamkiem.

– Trochę lepiej – mówi Martynka skrzypiącym głosem starej, zmęczonej kobiety. Wszyscy zaczynają się śmiać.

– Chyba będę musiał obejrzeć twoje gardło – kiwa głową doktor. Poprawia okulary na nosie i prosi: – Otwórz szeroko buzię i powiedz A.

– Aaaaa – mówi posłusznie Martynka.

– Bardzo ładnie – uśmiecha się lekarz. – Powiedz jeszcze raz, a ja przycisnę lekko twój język drewnianą szpatułką, żeby lepiej widzieć, co dzieje się w gardle. Obiecuję, że potrwa to tylko chwilkę.

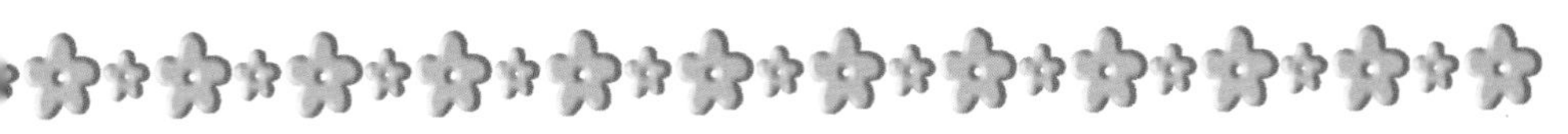

– Aaaaaa – mówi jeszcze raz Martynka, starając się nie ruszać głową. Wie przecież, że lekarz musi dokładnie obejrzeć jej chore gardło.

– No tak – wzdycha pan doktor. – Jest bardzo czerwone. Opowiesz mi, co cię jeszcze boli?

Martynka stara się niczego nie pominąć. Mówi o gorączce, dreszczach, o tym, że nie ma siły wstać

z łóżka, że kręci jej się w głowie, że kicha, ma katar... Lekarz musi przecież dokładnie wiedzieć, co jej dolega, żeby zastosować odpowiednie leczenie.

– Zdejmij koszulkę, posłuchamy, co się dzieje w twoich płucach – mówi pan doktor i podnosi w górę małą słuchaweczkę nazywaną stetoskopem.

Martynka robi wszystko, co jej każe. A on wsłuchuje się w to, jak bije jej serce i jak pracują płuca i wydaje kolejne polecenia:

– Wciągnij głęboko powietrze... a teraz je wypuść. I jeszcze raz. A teraz policz w myślach do pięciu i nie oddychaj. Świetnie. Jeszcze jeden głęboki wdech...

Stetoskop co kilka chwil zatrzymuje się na dłużej w jakimś miejscu. Jest zimny i łaskocze. Dziewczynka nie może powstrzymać się od śmiechu.

– Ubieraj się szybciutko – prosi doktor, chowając swoje instrumenty do kuferka. – Obawiam się, że masz początki zapalenia oskrzeli. Musimy się tym bardzo poważnie zająć. Przepiszę ci syrop, dwa rodzaje tabletek i...

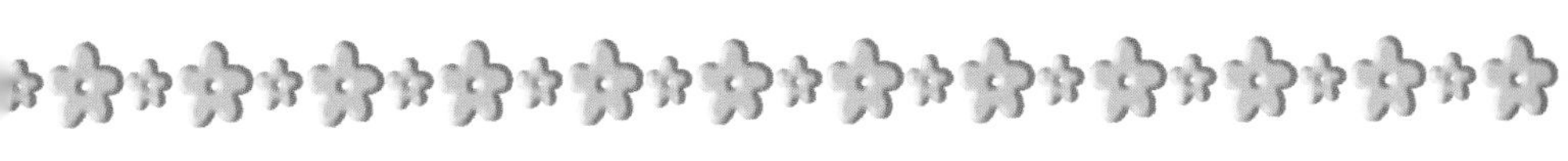

Doktor siada przy biurku, na którym Martynka zwykle odrabia lekcje, przesuwa na bok jej zeszyty, wyciąga z kieszeni pióro i wypisuje receptę.

Literki, które wychodzą spod jego ręki, wcale nie przypominają starannego pisma Martynki, okrągłych liter mamusi ani dużych, pochylonych znaków tatusia. Dziewczynka nie potrafi odczytać ani jednego słowa. Zapisana gęsto ciemnym atramentem recepta wygląda jak tajemnicze zaklęcie, znalezione w starej, zakurzonej księdze.

– To czarodziejska mikstura, która uleczy mnie w minutę? – pyta z nadzieją Martynka.

Doktor kręci głową i sięga po czystą kartkę.

– Musisz być cierpliwa, moja droga. Zapalenie oskrzeli nie mija w jeden dzień. Zostaniesz w łóżku przynajmniej przez tydzień. Musisz dużo odpoczywać i przyjmować wszystkie leki tak, jak zapisałem. Twoja mama albo tata zaraz pójdą po lekarstwa do apteki… A ja niedługo znów cię odwiedzę i sprawdzę, jak się miewasz.

Jakie to lekarstwo jest gorzkie!

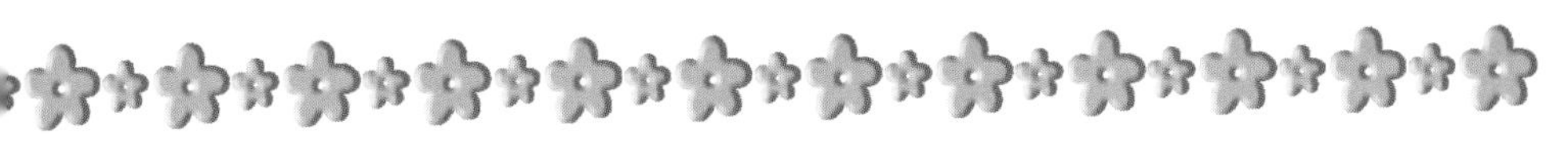

Martynka kiwa głową i przygryza dolną wargę. Robi jej się bardzo smutno. Minie jeszcze wiele dni, zanim znów będzie mogła bawić się z przyjaciółmi na śniegu!

Gdy Janek, starszy brat Martynki, wraca ze szkoły, mama prosi go, żeby posiedział z siostrą, a sama idzie do apteki, by wykupić receptę.

Nie mija nawet dziesięć minut i mama jest już z powrotem. Trzyma w dłoni torebkę wypełnioną buteleczkami i pudełeczkami o różnych kształtach i kolorach.

– To wszystko dla mnie? – nie dowierza Martynka.

– Te duże tabletki masz brać dwa razy dziennie, te różowe tylko przed snem, syrop w zielonej butelce po posiłku, a ten w żółtej wtedy, gdy będzie cię męczył kaszel. – Mama porównuje nazwy na opakowaniach z tymi zapisanymi przez lekarza na kartce. – Jeśli chcesz szybko wyzdrowieć, musisz dokładnie przestrzegać zaleceń pana doktora.

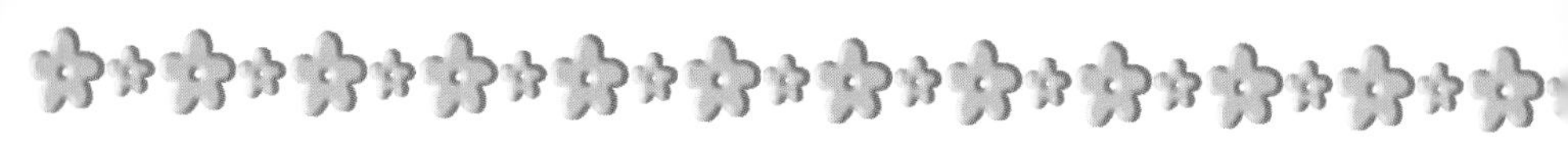

– Bardzo chcę wyzdrowieć – oświadcza Martynka swoim skrzeczącym, świszczącym głosem. – Chciałabym znowu ulepić bałwana…

– Jaki paskudny jest ten syrop! – krzywi się Martynka. – Piecze mnie w gardło!

– Moja babcia zawsze mówiła, że najlepsze lekarstwa muszą być niesmaczne – uśmiecha się mama. – A skoro ten jest taki okropny, to znaczy, że naprawdę szybko cię wyleczy. Warto chyba chwilę pocierpieć?

– Warto – wzdycha Martynka, przełykając dużą, gorzką tabletkę i zerkając przez okno na bawiące się w parku dzieci.

ROZDZIAŁ 6

Troskliwy pielęgniarz

Mama i tata muszą chodzić do pracy. A Martynka nie może być w domu sama. Jej stan mógłby się nagle pogorszyć, a poza tym wymaga troskliwej opieki. Mama oświadcza więc:

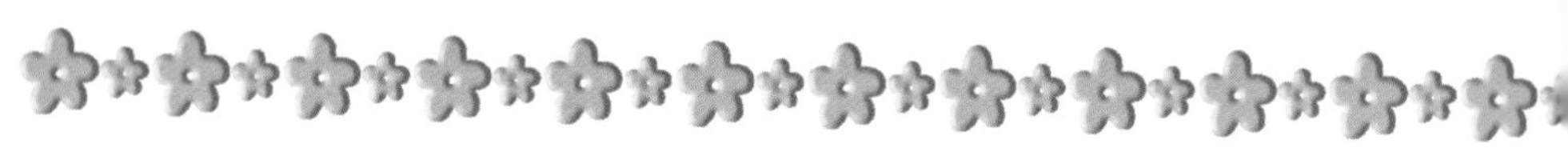

– Dziś zajmie się tobą pewien troskliwy pielęgniarz. Można by nawet powiedzieć: prawdziwy mistrz pielęgniarstwa.

Martynce chce się płakać. Ma siedzieć cały dzień z jakimś obcym człowiekiem? A jeśli on okaże się nudny? I nie będzie miał ochoty się z nią bawić ani opowiadać bajek? Albo będzie cały czas coś mówił, nawet wtedy, gdy ona będzie chciała spać?

– Zapewniam, że się ucieszysz na jego widok – mówi tata i puszcza do niej oko, szykując się do wyjścia.

Chwilę później ktoś puka do drzwi.

– Podobno jakaś mała dziewczynka potrzebuje tutaj towarzystwa? – rozlega się wesoły głos.

– Dziadek! Hurra! Zostanę w domu z dziadkiem! – cieszy się Martynka.

Dziadek opiekował się nią już wtedy, gdy chorowała na różyczkę. I kiedy miała grypę. I wtedy, gdy zwichnęła nogę. Martynka uwielbia być pod jego opieką. Faktycznie jest najtroskliwszym pielęgniarzem, jakiego można sobie wyobrazić. I najweselszym…

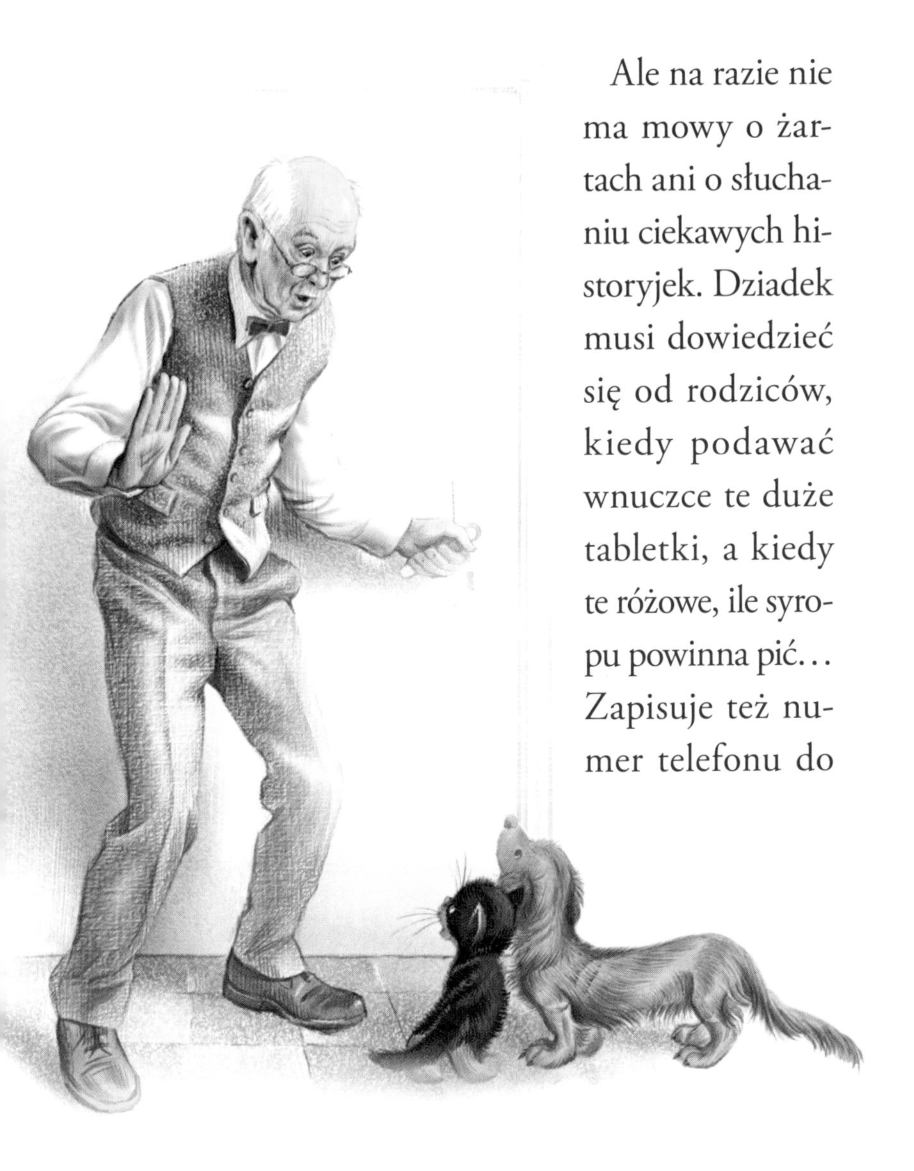

Ale na razie nie ma mowy o żartach ani o słuchaniu ciekawych historyjek. Dziadek musi dowiedzieć się od rodziców, kiedy podawać wnuczce te duże tabletki, a kiedy te różowe, ile syropu powinna pić... Zapisuje też numer telefonu do pana doktora, tak na wszelki wypadek. I kładzie na wierzchu termometr.

– Mierzyć gorączkę co cztery godziny – powtarza skupiony.

Martynka nie może się doczekać, aż wreszcie do niej przyjdzie. Czeka i czeka, wpatrując się w drzwi. A gdy się w końcu otwierają, dziadek widzi dziewczynkę śpiącą spokojnie w swoim łóżku. Wycofuje się więc na palcach, by przypadkiem jej nie obudzić. Sen jest przecież najlepszym lekarstwem!

Piesek i kotek wcale nie są zachwycone wizytą dziadka. Nie pozwala im przeszkadzać Martynce. Przegania je z pokoju i zamyka im drzwi przed nosem. Wejdą tam dopiero, gdy ich mała pani się obudzi.

– Możecie posiedzieć ze mną, kiedy będę czytał książkę – mówi do nich dziadek. – Albo się zdrzemnijcie.

Zwierzaki wybierają to drugie rozwiązanie.

Po półgodzinie starszy pan zamyka książkę, wstaje z kanapy i idzie do kuchni przygotować posiłek dla

Martynka czuje się już trochę lepiej.

chorej wnuczki. Piesek i kotek momentalnie podrywają się na cztery łapy i biegną za nim. Nic im nie dolega, ale chyba też należy im się jakiś przysmak?

– Dobrze, już dobrze – uśmiecha się dziadek. – Mam coś i dla was...

Martynka budzi się z głębokiego snu. Przysięgłaby, że wreszcie czuje się trochę lepiej. Ma nawet ochotę wstać i poszukać dziadka, ale jej uwagę przyciąga książka leżąca na szafce koło łóżka. Sięga po nią i zaczyna czytać. Sił starcza jej jednak tylko na kilka stron. Powieki robią się ciężkie, głowa opada na poduszkę. Nie śpi, ale nie ma siły już czytać. Może gdyby ktoś poczytał jej głośno...

– Poczytać ci? – pyta dziadek, siadając przy jej łóżku. – Z chęcią to zrobię, ale najpierw musisz coś zjeść.

Martynka podnosi się i sięga po łyżkę. Nie ma rady, jeśli nie zje rosołu, dziadek nie weźmie książki do ręki. Zna go przecież nie od dziś. Jest taki uparty,

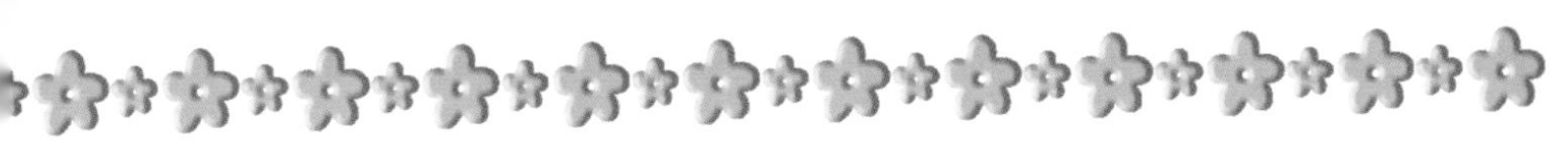

zupełnie jak ona. Mama często powtarza: „Masz to po dziadku!”, kiedy Martynka nie chce zmienić zdania w jakiejś sprawie.

– A może opowiesz mi bajkę, zamiast czytać? – prosi dziewczynka.

– Którą bajkę? – pyta dziadek, chociaż doskonale wie, jaka będzie odpowiedź. Martynka słyszała tę historię już tysiące razy, zna ją na pamięć, ale wciąż tak samo ją uwielbia.

– Dziadku, proszę… tę o strachu na wróble!

– No dobrze. – Dziadek nie potrafi jej odmówić. – Ale pod jednym warunkiem: zjesz jeszcze kotlecika. Takiego malutkiego.

Martynka zjada kotleta, a dziadek zaczyna swoją opowieść.

– Dawno, dawno temu, w sadzie pełnym dorodnych jabłek stał stary strach na wróble. Wszyscy widzieli jego krzywy kapelusz, rozczochrane włosy i podartą koszulę, ale nikt nie miał pojęcia, że pod tym strojem bije gorące serce…

Gdy dziadek kończy historię o zakochanym strachu na wróble, Martynka aż płacze ze śmiechu.

– Dziadziusiu, powinieneś zostać aktorem, naprawdę – mówi. – Tak świetnie naśladujesz głosy.

Byłeś dziś i staruszką ze wsi, i księżniczką, i rolnikiem, i dwójką dzieci, i sprzedawcą dyń... W tej historii nigdy przedtem nie było sprzedawcy, prawda?

– Muszę od czasu do czasu coś w niej zmienić, żebyśmy się nie zanudzili – puszcza do niej oko.

W tym momencie w pokoju rozlega się dzwonek telefonu.

– Dziadku, jesteś niesamowity! Potrafisz także naśladować telefon?

Ale to nie głos dziadka. To prawdziwy telefon. Dzwoni Klara, koleżanka z klasy Martynki.

– Czujesz się już lepiej? – pyta. – Strasznie tu bez ciebie smutno! Dzisiaj byliśmy na przedstawieniu o Aladynie i jego latającym dywanie. Słyszałaś kiedyś o nim?

– Chyba nie – mówi Martynka. – Ale zaraz poproszę dziadka, żeby mi o Aladynie wszystko opowiedział.

– Robimy dla ciebie notatki – opowiada dalej Klara. – Iwonka zapisuje wszystko z angielskiego, ja z polskiego, a Kajtek z matematyki... Przyniesiemy je, gdy tylko lekarz powie, że można cię odwiedzić.

– Mam nadzieję, że to będzie już niedługo – wzdycha Martynka, bo nagle zaczyna strasznie tęsknić za szkołą.

– Nie wiesz nawet, co zrobił Artur dzisiaj na plastyce! – Klara dzieli się z nią klasowymi ploteczkami. – Wyobraź sobie, że rozlał farbę na dziennik! Pani była bardzo, ale to bardzo zła.

Martynka chce zapytać, jaką dostał karę, ale nie ma już siły. Czuje, że musi się znowu położyć...

ROZDZIAŁ 7

Niespodziewani goście

Po tygodniu Martynka czuje się znacznie lepiej. Czyta, rysuje i rozmawia z Klarą przez telefon.

Pan doktor przychodzi, zgodnie z obietnicą, żeby zobaczyć, jak miewa się jego mała pacjentka.

I tym razem jest bardzo zadowolony z tego, co widzi.

– Gorączka spadła, minęło zaczerwienienie gardła – kiwa głową z radością. – Lepiej też oddychasz, lekarstwa spełniły swoje zadanie. Musisz jednak zostać w łóżku jeszcze kilka dni.

– Dlaczego? – nie rozumie Martynka. – Przecież wyzdrowiałam, sam pan powiedział!

– Wracasz do zdrowia, tak... ale to nie znaczy, że jesteś w pełni sił. Musimy wzmocnić twój organizm, osłabiony po chorobie. Twoje płuca mogłyby nie wytrzymać kontaktu z lodowatym powietrzem. Rozchorowałabyś się jeszcze poważniej niż tydzień temu!

Martynce trudno opanować złość. Nagle jednak coś przychodzi jej do głowy.

– Nikogo nie zarażę, prawda? – dopytuje.

– Oczywiście, że nie – uśmiecha się pan doktor. – Jeśli ktoś chciałby cię odwiedzić, nic mu nie grozi.

– Zadzwonię do Klary – klaszcze w dłonie Martynka. – Może mogłaby przynieść mi te notatki z lekcji, o których mówiła.

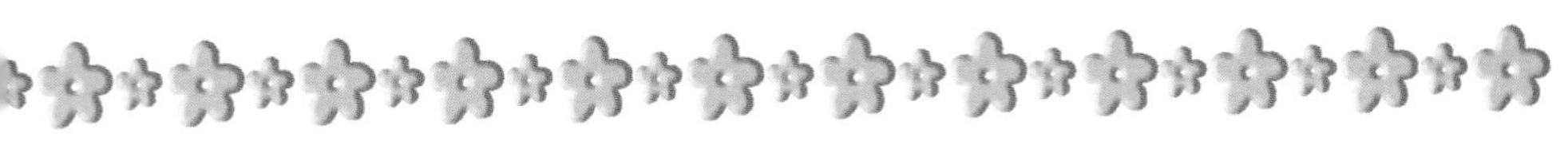

Klara jednak nie odbiera telefonu. Martynka siada na łóżku i wygląda przez okno. Obserwuje przechodniów. Większość z nich idzie skulona, szybkim krokiem, chcąc uciec przed mrozem. Jakiemuś łysemu panu wiatr porywa kapelusz, a on goni go po ulicy. Kawałek dalej dwie panie się mijają, a każda z nich ciągnie na smyczy psa. Martynka unosi się na posłaniu, chce zobaczyć, jak skończy się ta scena… To jej jedyna rozrywka. Prawdziwe życie, które toczy się gdzieś tam za szybą.

Zanim jednak psy wykonają kolejny ruch, do pokoju wchodzi mama i z tajemniczym uśmiechem mówi:

– Mam dla ciebie niespodziankę.

– Jaką? – chce wiedzieć Martynka.

Mama nie odpowiada, tylko szeroko otwiera drzwi, a wtedy do pokoju wpada tłum ludzi. To cała klasa Martynki przyszła ją odwiedzić!

– Twoja mama zadzwoniła do naszej pani i powiedziała, że na pewno nikogo nie zarazisz – opowiada Klara, tuląc się do przyjaciółki. – A wtedy pani zde-

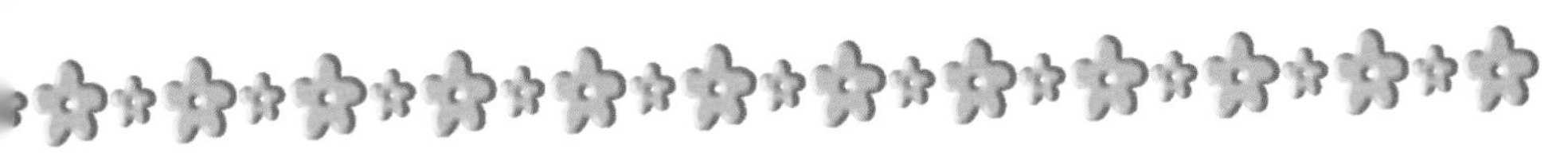

cydowała, że możemy do ciebie przyjść. Tak się cieszę! Już się nie mogłam doczekać!

W pokoju panuje straszny harmider. Dzieci mówią jedno przez drugie, przekrzykują się, podają Martyncе laurki, które dla niej narysowały, notatki z lekcji, Iwonka ma nawet misia-przytulankę dla wracającej do zdrowia koleżanki.

– Zdejmijcie kurtki i czapki – prosi mama. – Jeśli tego nie zrobicie, zgrzejecie się tutaj i możecie łatwo się przeziębić po wyjściu na dwór.

Dzieci posłusznie się rozbierają.

– Nie miałabym kogo uczyć, gdybyście wszyscy leżeli w łóżkach – uśmiecha się ich wychowawczyni.

– Na dworze jest wciąż tak okropnie zimno? – dopytuje Martynka.

– Jeszcze zimniej niż parę dni temu. Brrr! – Jolę przechodzi dreszcz

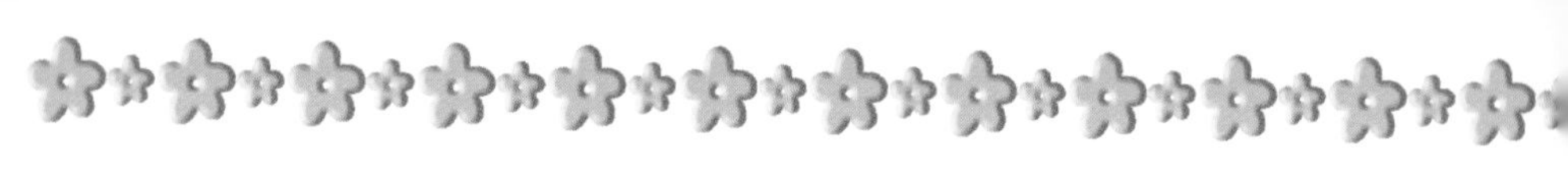

na samą myśl o wyjściu na mróz. – A nasz piękny śnieg całkowicie stopniał. Chyba w środę, kiedy nagle na parę godzin zrobiło się cieplej.

– Nie, to był czwartek! – protestuje Jacek.

– Nie, na pewno środa, szłam wtedy do dentysty – upiera się Jola.

Martynka patrzy na nich z uśmiechem i mówi:

– Nie macie pojęcia, jak strasznie się cieszę, że was widzę!

Bardzo się za wszystkimi stęskniła. Nawet za Arturem, który często płata nauczycielom figle i opowiada na lekcjach głupoty. W klasie czasami ją denerwuje, ale dziś jest zachwycona, mogąc go przez chwilę posłuchać.

– Mamy dla ciebie czekoladki! – przypomina sobie nagle Artur. – Oj, nie, nie mamy… przepraszam, ja je chyba zjadłem po drodze. Pani dała mi je do potrzymania, no i zapomniałem, że to dla ciebie, i…

– O nie! – Klara chowa twarz w dłoniach. Jak on mógł zjeść prezent dla Martynki?!

– Książkę też zjadłeś? – pyta Iwonka. – Bo chyba ją również trzymałeś?

– Nie, książka jest bezpieczna! – Kajtek podnosi w górę dużą paczkę owiniętą w kolorowy papier. – To ja trzymam ją przez cały czas.

– Podaj ją Martyncе – podpowiada szeptem Gosia.

A Kajtek podchodzi do łóżka i mówi:

– Byliśmy na przedstawieniu o Aladynie, więc pomyśleliśmy, że możesz mieć ochotę przeczytać tę historię. I kilka innych, równie magicznych…

– Dziękuję wam bardzo. – Martynka rozrywa papier i odczytuje tytuł na okładce wielkiej księgi: – *Baśnie z tysiąca i jednej nocy…*

– Hau, hau! – szczeka piesek, jakby się wystraszył.

Martynka zaczyna się śmiać.

– Boisz się, że będę chorować przez tysiąc dni? Albo nawet tysiąc jeden? Nie martw się, nie mam takiego zamiaru!

Klara przyniosła dla Martynki coś jeszcze. Ostrożnie podaje jej wysokie pudełko.

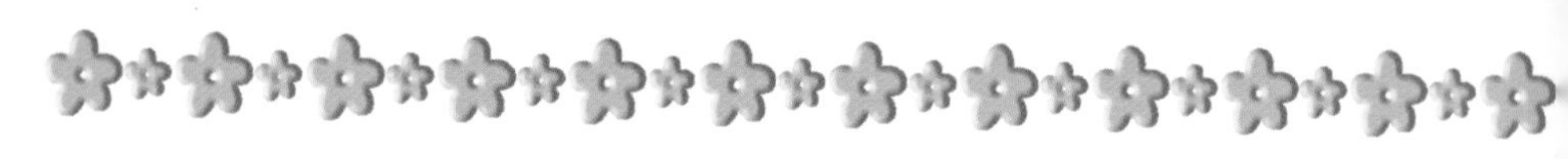

– Moja mama upiekła specjalnie dla ciebie ciasto czekoladowe.

– Dziękuję! – Dziewczynce zaczyna kręcić się w głowie od tych wszystkich prezentów. – To moje ulubione... Jak miło, że twoja mama zapamiętała, że tak bardzo mi u was ostatnio smakowało!

– Trudno byłoby tego nie zapamiętać – śmieje się Klara. – Zjadłaś chyba pięć kawałków!

– Cztery! – prostuje Martynka. – Tylko cztery...

Piesek i kotek zaczynają się nagle oblizywać, jak na komendę. Najwyraźniej też lubią ciasto czekoladowe, chociaż chyba jeszcze nigdy go nie jadły.

– Twoja mama, Klaro, upiekła go tyle, że wystarczy dla nas wszystkich – uśmiecha się mama Martynki. – Zaraz przyniosę talerzyki i widelczyki...

Czekając na powrót mamy, Martynka próbuje zorganizować dla każdego jakieś wygodne miejsce. Nie może wstać z łóżka i sama wszystkiego poprzestawiać, prosi więc o pomoc swoich przyjaciół.

– Klaro, przełóż te książki z mojego biurka... Julko, weź sobie tamten taboret, który stoi przy oknie. Martuś, przełóż misia i lalkę z krzesła do tamtego wiklinowego pudełka i usiądź wygodnie. Kajtku, nie pogniewasz się, jeśli posadzę cię na podłodze? Przepraszam, ale chyba zabrakło krzeseł...

– Ja mam jeszcze kilka – mówi mama, wnosząc do pokoju krzesła i taborety zabrane z dużego pokoju. – Zaraz przyniosę coś jeszcze z kuchni...

W końcu wszyscy mają gdzie siedzieć. Trzymają w dłoniach talerzyki z ciastem, a mama Martynki nalewa do szklanek sok pomarańczowy.

– Czuję się, jakby to były moje urodziny – uśmiecha się Martynka. – Nie do wiary, że jeszcze kilka godzin temu żałowałam, że muszę siedzieć w domu. Myślałam, że to będą najnudniejsze dni w moim życiu! A tu taka niespodzianka!

– Hau, hau! – Piesek złości się, chyba dlatego że nikt nie proponuje mu kawałka ciasta.

Artur nie wie jednak, że to szczekanie nie oznacza niczego groźnego. On okropnie boi się psów. Widząc, że jamniczek zbliża się do niego, upuszcza z wrażenia talerzyk z resztką ciasta czekoladowego. Prosto na dywan! Talerzyk rozbija się w drobny mak.

– Bardzo panią przepraszam. – Artur robi się czerwony jak burak. Znowu coś mu się nie udało!

– Nie przejmuj się – uśmiecha się mama Martynki. – To nie twoja wina, naprawdę. Nasz piesek potrafi każdego wytrącić z równowagi.

Martynka czuje, że jest bardzo zmęczona. Chciałaby jeszcze porozmawiać, zapytać o tyle rzeczy, pośmiać się, ale nie ma już siły. Blada opada na poduszkę.

Klara natychmiast to zauważa.

– Martynka musi odpocząć – mówi. – Chodźmy do domu.

– Wracaj do nas szybko – proszą przyjaciele, wychodząc. – Smutno nam bez ciebie.

– Wrócę na pewno! – obiecuje Martynka, zamykając oczy. – Wrócę, jak tylko się wyśpię.

Martynka dostała list od cioci Lusi.

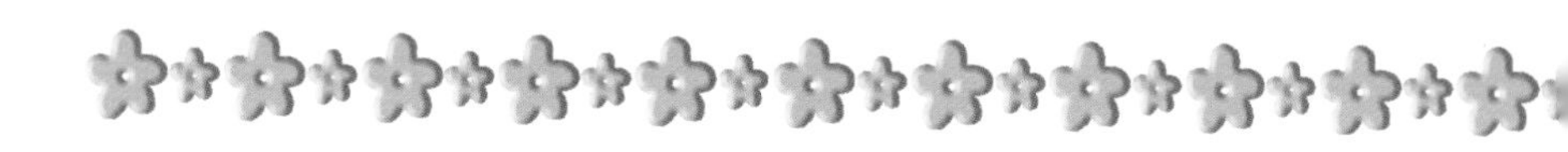

Dwa dni później Martynka jest znowu w domu z dziadkiem.

– Listonosz przyniósł coś dla ciebie. – Dziadek podaje jej kopertę, zaadresowaną delikatnymi, nieco wydłużonymi literkami.

– To chyba od cioci Lusi? – Martynka przysięgłaby, że pamięta ten charakter pisma. Wyskakuje z łóżka i siada w fotelu.

– Załóż szlafrok! Nie siedź w samej koszuli nocnej, bo znowu się przeziębisz! – denerwuje się dziadek.

Ale Martynka nie słucha. Czyta na głos:

Kochana Martynko,
słyszałam, że jesteś chora. Mam nadzieję, że to nic poważnego. Chciałabym zaprosić Cię do siebie na kilka dni, gdy tylko poczujesz się lepiej. Porozmawiaj z rodzicami i daj znać, kiedy przyjeżdżasz!

Ściskam Cię gorąco!
ciocia Lusia

ROZDZIAŁ 8

Kochany pamiętniku...

Pan doktor znów przesuwa termin powrotu Martynki do szkoły. I nie chce słyszeć o jej wyjeździe.

– Jesteś jeszcze za słaba, zaraz złapiesz jakąś infekcję – mówi zdecydowanym tonem. – A za oknem znów zapanowały mrozy... Musisz zostać w domu.

Martynka czyta więc całymi dniami. Chwilami wydaje jej się, że rzeczywiście siedzi w swoim łóżku od tysiąca i jednej nocy, niczym księżniczka uwięziona w pałacu złego sułtana.

– Może masz ochotę przenieść się na trochę na kanapę w dużym pokoju i pooglądać ze mną telewizję? – proponuje w niedzielę tata.

Martynka aż piszczy z radości. Wyskakuje z łóżka i biegnie boso przed telewizor.

– O nie – kręci głową tatuś. – Włóż kapcie i szlafrok. Nie możesz teraz zmarznąć! Nie zapominaj, dlaczego siedzisz w domu.

Martynka, ciężko wzdychając, wraca do pokoju po wyściełane futerkiem kapcie, szlafrok i kocyk, którym okryje się, jeśli nagle zrobi jej się zimno. A potem zasiada na sofie, wtula się w tatę i włącza kanał z bajkami. Czy może być coś milszego niż taki niedzielny poranek?

W dodatku po chwili przychodzi mama i podaje córeczce kubek mleka z miodem.

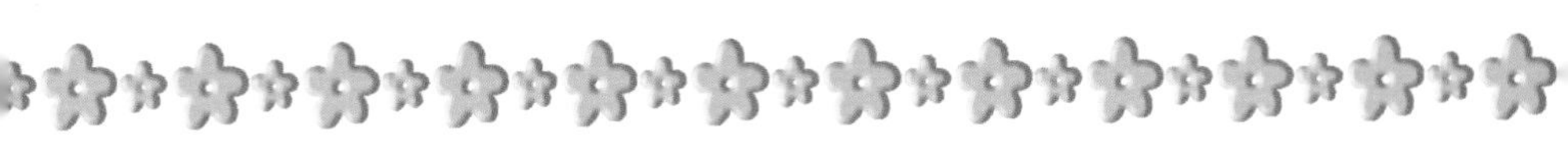

Dobrze tak siedzieć razem, oglądając film.

„Właściwie chorowanie wcale nie jest takie złe" – myśli Martynka i nawet chce to powiedzieć na głos, ale bajka o kocie, który od wielu odcinków gania za myszą i ciągle nie może jej dopaść, wciąga ją w okamgnieniu. Tatę zresztą też. Obydwoje śmieją się do łez, obserwując sprytną myszkę i kota niezdarę.

– Hau, hau! – denerwuje się piesek.

– Miau! – Kotek też nie chce patrzeć na tę bajkę. On przecież błyskawicznie dogoniłby tę mysz!

– Może przełączymy kanał, żeby ich nie denerwować? – proponuje tata, a Martynka od razu się zgadza. Zwłaszcza, że tata podaje jej pilota.

Martynka skacze z programu na program. Bajka o Indianach? A może program z piosenkami dla dzieci? Albo film przyrodniczy o życiu surykatek?

– Masz dużo czasu – przypomina jej tata. – Możesz obejrzeć coś także jutro i pojutrze…

– I za tydzień – wzdycha Martynka. Naprawdę chciałaby już wrócić do szkoły i nie mieć czasu na naciskanie guziczków pilota od telewizora.

– Na dzisiaj już wystarczy – mówi tata, wyłączając telewizor. – Zajmę się teraz przygotowaniem obiadu.

– To może ja pobawię się w tym czasie z mamą? – proponuje Martynka, ale tata kręci głową. Mama pojechała przecież z Jankiem na zakupy. Starszy brat Martynki potrzebuje nowych butów do gry w piłkę nożną. Stare dosłownie rozpadły się na pół podczas ostatniego treningu.

– Poczytaj coś – zachęca tata, a Martynka posłusznie idzie do swojego pokoju. Nie ma jednak ochoty czytać. Musi wymyślić jakieś inne zajęcie… Tylko jakie?

Nagle do głowy przychodzi jej wspaniały pomysł. Pamiętnik! Kiedyś, zanim zachorowała, pisała przecież pamiętnik. Notowała w nim swoje przeżycia. Opisywała smutki, radości, marzenia i to, nad czym chciała się zastanowić.

– Dlaczego nie miałabym opisać przeżyć związanych z chorobą? – mówi do siebie. – To niekończące się siedzenie w domu… Tak, muszę opowiedzieć o tym ze szczegółami!

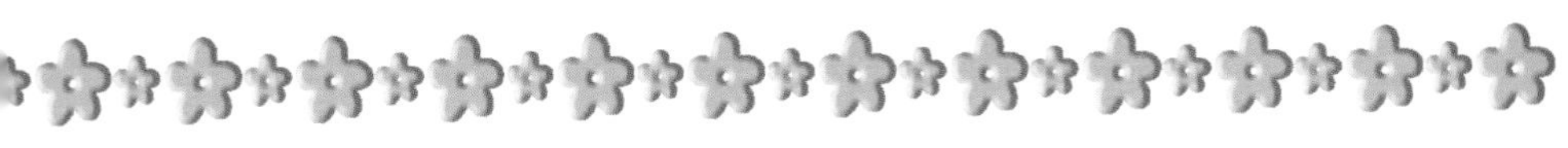

Pamiętnik leży ukryty w schowku w jej pokoju. Nawet rodzice nie mają pojęcia, gdzie go trzyma. Szpara między ścianą a biurkiem idealnie się do tego nadaje.

Martynka sięga do niej ręką i po chwili wyciąga niewielki, trochę zakurzony zeszycik.

– Długo na mnie czekałeś, prawda? – mówi do niego, zupełnie jakby mógł ją usłyszeć.

Zza grubego atlasu zwierząt Martynka wyjmuje kluczyk i otwiera nim kłódkę, która zabezpiecza pamiętnik przed wzrokiem ciekawskich. Tak naprawdę w zeszyciku nie ma na razie żadnych tajemnic. Ot, po prostu, opis wycieczki nad rzekę… i relacja z klasówki z matematyki, która poszła Martynce znakomicie. Stronę dalej wierszyk, który przygotowała na konkurs na temat jesieni, i drugi, którego nie wysłała na żaden konkurs. Napisała go dla samej siebie, kiedy było jej smutno. Nie pamięta już dziś powodu tego smutku. Nie znaczy to jednak, że był niewielki albo mało ważny.

– Kiedyś jeszcze powierzę ci, pamiętniczku, prawdziwy sekret – obiecuje Martynka, po czym sięga po długopis i zaczyna pisać:

2 marca

Kolejny dzień w moim domowym więzieniu. Jestem już naprawdę zmęczona i znudzona. Nie rozumiem, dlaczego pan doktor wciąż nie pozwala mi wyjść z domu. Robi się już przecież cieplej. W parku niektóre drzewa mają nawet piękne pąki. Co chwila słyszę: „Za kilka dni wrócisz do szkoły". I nic! Tęsknię za lekcjami, a jeszcze bardziej za przerwami. Chciałabym śmiać się z Klarą, Julką, Jolą, Ewą… Chciałabym wyjść z psem na spacer. Mogłabym już nawet zagrać z Jankiem w piłkę nożną, gdyby brakowało mu osoby do drużyny. Codziennie budzę się z nadzieją, że to właśnie ten dzień. Dzień, kiedy odzyskam wolność.

ROZDZIAŁ 9

Nareszcie wolna!

Doktor znów odwiedza Martynkę. I już od progu kiwa głową, jakby coś bardzo go cieszyło.

– Wyglądasz znacznie lepiej! Nareszcie – mówi. – Myślę, że możesz wrócić już do szkoły. Pamiętaj tylko, by nosić kurtkę i szalik. Wczesna wiosna to bardzo zdradliwa pora roku... I przynajmniej przez dwa tygodnie nie wolno ci ćwiczyć na WF-ie, rozumiesz?

– Oczywiście. Obiecuję, że będę na siebie uważać! – Martynka ma ochotę skakać z radości, boi się jednak, że lekarz każe jej wrócić do łóżka, gdy zobaczy takie zachowanie. Powiedział przecież wyraźnie, że ma się oszczędzać i zapomnieć o ćwiczeniach. A takie wygibasy to prawie jak lekcja WF-u!

Gdy doktor wychodzi, dziewczynka nie wytrzymuje jednak i tańczy mały taniec zwycięstwa.

– Nareszcie wolna! Wolnaaaa! La la, la la la! – śpiewa, podskakując i machając rękami.

Za domem znajduje się mała szklarnia, w której Martynka uwielbia przesiadywać w chłodne dni. Tam zawsze jest ciepło i jasno. Po długiej chorobie właśnie w to miejsce kieruje swoje pierwsze kroki. Wśród egzotycznych roślin, blisko grzejnika, starannie pisze list do cioci:

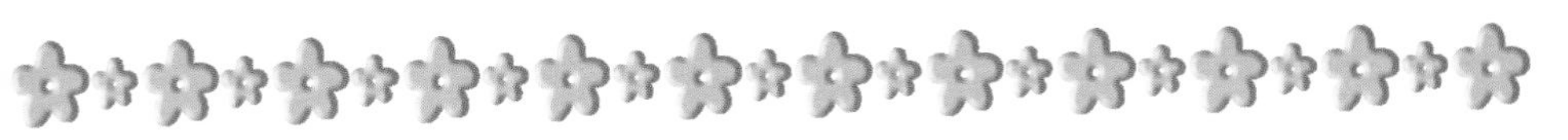

Kochana Ciociu,
dziękuję za list i zaproszenie. Niestety, do tej pory nie mogłam do Ciebie przyjechać. Pan doktor nie pozwalał mi nawet chodzić do szkoły! Ale dziś powiedział, że jestem już zdrowa. Hurra! W końcu! Mam do nadrobienia mnóstwo zaległości. Mama nie zgodzi się na opuszczanie lekcji, ale wpadłam na pewien pomysł. Za dwa

Czas na domowy pokaz mody.

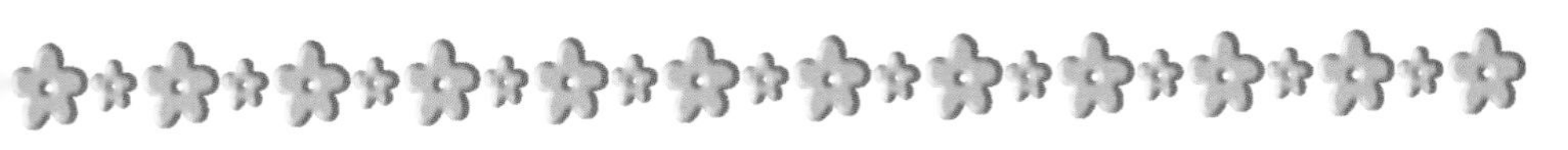

tygodnie moja klasa jedzie na wycieczkę w góry. Pan doktor stwierdził, że górski klimat byłby dla mnie dobry, ale stanowczo zabronił mi poważnego wysiłku. A więc ze wspinaczki nici. Może mogłabyś wtedy przyjechać i zabrać mnie do siebie na kilka dni? Bardzo chciałabym Cię odwiedzić. Będę czekać na wiadomość.

Całuję Cię mocno, Ciociu!
Twoja Martynka

Martynka nie jest pewna, czy ciocia po nią przyjedzie. Na wszelki wypadek idzie jednak do szafy i wyjmuje wszystkie wiosenne i letnie ubrania. Mama po powrocie z pracy wygląda, jakby miała dostać zawału. I nic dziwnego – cały pokój usłany jest letnimi sukienkami, koszulkami na ramiączkach i krótkimi spodenkami.

– Do wakacji chyba jeszcze zostało sporo czasu? – pyta mama słabym głosem.

– No tak. Ale wiesz, mamusiu, upały mogą przyjść w każdej chwili... – tłumaczy Martynka. – Zwłasz-

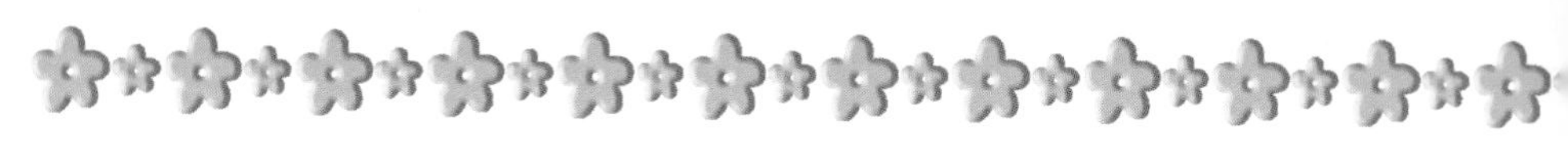

cza u cioci Lusi. Na południu jest przecież zawsze trochę cieplej niż gdzie indziej… A ciocia może po mnie przyjechać już całkiem niedługo.

– Na razie jeszcze do mnie nie dzwoniła – mówi mama spokojnie.

Martynka kiwa głową, a potem wyznaje drugi, równie ważny dla niej powód tych wielkich przymiarek:

– Wiesz, mamusiu, od kilku tygodni chodzę w kółko w koszulach nocnych i w szlafroku. Mam już trochę tego dosyć…

– Wcale ci się nie dziwię – śmieje się mama. – W takim razie może urządzisz dla mnie mały, prywatny pokaz mody?

Co za zabawa! Martynka co chwilę zakłada nowy strój i przechadza się przed lustrem krokiem podobnym do tego, którym chodzą zawodowe modelki. Lewa noga, prawa, znowu lewa, potem szybki obrót przez prawe ramię i kolejny marsz w przeciwną stronę.

– Hau, hau! – Piesek skacze wokół niej.

– Też chcesz być modelem? – śmieje się mama. – A może po prostu masz ochotę na spacer?

– Spacer! – Martynka bierze głęboki oddech, czując, że ogarniają ją wielkie emocje. – Mamusiu, czy ja też mogę… Czy mogę iść z wami?

– Oczywiście – zgadza się mamusia. – Dlaczego miałabyś nie iść? Pan doktor powiedział przecież wyraźnie, że jesteś zdrowa!

– Hurra! – Martynka aż podskakuje z radości. – Wreszcie odetchnę świeżym powietrzem! I będę spacerować po parku!

– Bałwana to już chyba nie ulepisz – uśmiecha się mama. – Ale za to powąchasz kwiatki... kwitnie ich z każdym dniem coraz więcej. Tylko pamiętaj, kochanie, o kurtce i szaliku!

ROZDZIAŁ 10

Wyprawa na wieś

Z każdym dniem robi się coraz cieplej. Ptaki zaczynają wić gniazda, park pokrył się żółtymi dywanami żonkili, a Martynka nie potrzebuje już ani kurtki, ani szalika. Słońce grzeje bardzo mocno.

– Szkoda, że nie możesz jechać z nami w góry – wzdycha Klara, żegnając się z Martynką na cały tydzień.

Martynce też jest przykro. Ufa jednak swojemu lekarzowi. Jeśli powiedział, że nie powinna wspinać się całymi dniami po tak ciężkiej chorobie, to na pewno ma rację. Sama zresztą czuje, że nie wróciła jeszcze do pełni sił. Męczy się nawet krótkim biegiem albo wejściem na drugie piętro szkoły.

– Nie chciałabym być kłopotem dla całej klasy – tłumaczy Klarze. – Przeze mnie pewnie wszyscy musieliby się wlec i nie weszlibyście na żadną porządną górę.

Klara wzrusza ramionami, jakby

chciała powiedzieć, że woli towarzystwo Martynki niż wszystkie góry świata, a potem biegnie do domu, żeby się spakować przed wyjazdem.

Martynka bawi się przed domem z pieskiem i kotkiem, oczywiście unikając biegania, gdy nagle za jej plecami słychać cichy klakson.

– Niby dlaczego komuś przeszkadza, że tu siedzimy? –

nie rozumie dziewczynka i odwraca się zdenerwowana w stronę samochodu.

– Witaj, Martynko! – woła ciocia Lusia, wychylając się z auta. – Mam nadzieję, że nie pomyliłam dni? To dziś twoja klasa wyjeżdża w góry?

– Tak! – Martynka biegnie i rzuca się cioci w ramiona. – Myślałam już, że po mnie nie przyjedziesz! Dziękuję, ciociu!

Ciocia naprawdę tu jest. Stoi koło swojego samochodu ubrana w piękny różowy płaszczyk. Martynka jest zachwycona.

– Wyglądasz jak księżniczka, ciociu – mówi Martynka szczerze, ale ciocia tylko się śmieje.

– To ty jesteś księżniczką, moja myszko – odpowiada. – Niech ci się przyjrzę.

Ciocia Lusia uważnie patrzy na Martynkę.

– Masz śliczną sukienkę, ale chyba trochę schudłaś przez tę chorobę? Tak? No właśnie... I w dodatku jesteś bardzo, bardzo blada... Musimy coś zrobić, by przywrócić ci rumieńce!

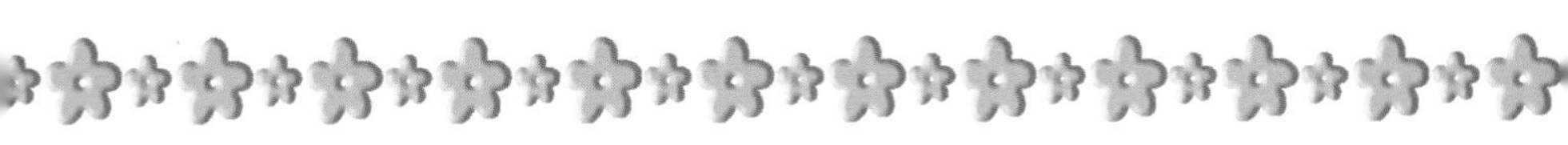

Wiejskie powietrze dobrze ci zrobi.

Mama i tata żegnają Martynkę, stojąc przy drzwiach samochodu.

– Wrócę za sześć dni – mówi dziewczynka. Nie lubi wyjeżdżać bez rodziców, wie jednak, że u cioci Lusi będzie jej naprawdę dobrze, tak jak zawsze. Będzie karmić zwierzęta, chodzić na długie spacery, zajmować się ogródkiem.

– Lekarz nie pozwolił ci się przepracowywać, córeczko – przypomina jej tata.

Ale Martynka tylko się śmieje. Kto tu mówi o ciężkiej pracy? Posadzenie kwiatka albo dwóch nie może jej przecież zbytnio zmęczyć.

– Hau, hau! – Piesek biega niespokojnie wokół auta cioci Lusi. Chyba też chciałby wsiąść do środka, a nie wie, czy jest zaproszony.

– Wskakuj! – woła do niego ciocia. – Znajdzie się miejsce i dla ciebie… W moim domu na wsi są już trzy psy, na pewno nie będziesz się nudził.

Jamniczek, słysząc taką zachętę, natychmiast mości się wygodnie na tylnym siedzeniu.

– Muszę jeszcze coś zabrać z domu… Coś ważnego! – Martynka nagle pędzi do swojego pokoju. Oczywiście, chodzi o pamiętnik. Nie ma mowy, żeby wyjechała bez niego. Na wsi na pewno wydarzy się sporo rzeczy wartych zapisania. Może nawet trafi się tam jakaś prawdziwa tajemnica…

Zimowe choroby

Uwielbiam zimę! Zabawy na śniegu, jazdę na sankach, łyżwach, nartach. Niestety, zimą bardzo łatwo można się rozchorować. Wystarczy wyjść z domu bez czapki i szalika...

Zapalenie oskrzeli i angina

Tej zimy zachorowałam na zapalenie oskrzeli. Czułam ból, kiedy brałam głęboki oddech. Rok temu Janek miał anginę. Przy tej chorobie z kolei trudno przełknąć ślinę, gardło jest obolałe i czerwone.

Bakterie to maleńkie organizmy, które mogą wywołać chorobę. Istnieją też bakterie pożyteczne, walczące z chorobami, np. te, które mieszkają w naszych jelitach.

Wirusy są jeszcze mniejsze niż bakterie. I bardzo groźne! Nie można ich zobaczyć gołym okiem.

Białe ciałka krwi, nazywane też leukocytami, chronią nasze ciało przed chorobami, zabijając bakterie i wirusy.

Martynka się przeziębiła podczas zabawy na śniegu.

Dreszcze

Gdy robi mi się zimno i zaczynam się trząść, wiem, że moje ciało podpowiada mi, że jestem chora. Czasami nawet szczękam zębami. Pan doktor wyjaśnił mi, że organizm ogrzewa się w ten sposób, napinając drobne mięśnie.

Pożyteczna gorączka

Gorączka to sposób organizmu na zabicie bakterii i wirusów, które go atakują.

36,6-37°C – normalna temperatura
37-37,9°C – stan podgorączkowy
Powyżej 38°C – gorączka
40°C – wysoka gorączka

Grypa

Kiedy dopada mnie grypa, mam gorączkę i bolą mnie mięśnie. Czasami pleców, czasami rąk i nóg… Dostaję kataru i szczypią mnie oczy. Wtedy wiem, że organizm próbuje pozbyć się wirusa grypy.

A psik!

Nie mogę powstrzymać się przed kichaniem. To odruchowa reakcja mojego ciała, które usiłuje przeczyścić nos i gardło. I całkiem nieźle mu to wychodzi! Kiedy kicham, mgiełka wyrzucana jest przez mój nos i usta na odległość do 3 metrów, z prędkością nawet do 166 km/h.

Wizyta doktora

Mama podaje mi herbatę z sokiem malinowym, mleko z miodem, robi okłady... Czasami to nie wystarcza i potrzebne jest spotkanie z lekarzem.

Temperatura

Lekarz musi wiedzieć, czy mam gorączkę i jak wysoką. Wkładam termometr pod pachę albo do ust, żeby to sprawdzić. Są też specjalne termometry, którymi mierzy się temperaturę w uchu, ale my takiego nie używamy.

Gardło Martynki jest bardzo czerwone.

Recepta

Kiedy pan doktor już wie, jak mi pomóc, wypisuje receptę. To kartka papieru z jego pieczątką, na której zapisuje nazwy leków. Niektórych z nich aptekarz nie może wydawać bez recepty. Mogą być bowiem niebezpieczne dla kogoś, komu nie zalecił ich lekarz.

Stetoskop

Dzięki tej małej słuchawce lekarz może usłyszeć, jak pracują moje serce i płuca. Jest trochę zimna, więc drżę, gdy doktor przykłada ją do moich pleców i klatki piersiowej.

Puls

Żeby zmierzyć mi tętno, czyli puls, doktor kładzie palec na wewnętrznej stronie mojego nadgarstka i patrzy na zegarek. Dzięki temu wie, jak często uderza moje serce. Nie powinno bić za szybko ani za wolno. U niemowląt idealne tętno wynosi 130 uderzeń na minutę, u dzieci (czyli u mnie!) 100, u dorosłych 70, a u osób starszych 60.

Torba lekarska

Są w niej wszystkie instrumenty doktora: stetoskop, aparat do mierzenia ciśnienia, szpatułki, młoteczek, którym uderza delikatnie w kolano, żeby sprawdzić, czy mój układ nerwowy reaguje prawidłowo. Znajdują się w niej też pieczątka i recepty do wypisania.

Szpatułka

Nie przepadam za nią, ale wiem, że lekarz musi przycisnąć nią mój język, żeby zobaczyć, czy gardło jest bardzo czerwone. Jeśli tak, to możliwe, że mam anginę… Muszę powiedzieć „Aaaa!", żeby udało mu się wszystko dokładnie obejrzeć.

Rekonwalescencja

To trudne słowo oznacza czas, gdy chory wraca do zdrowia. Powinien on wówczas dużo odpoczywać i przyjmować leki.

Zmęczenie

Moje ciało broni się przed wirusami i bakteriami. Ta walka osłabia cały organizm. Dlatego właśnie czuję się ciągle zmęczona i śpiąca, mimo że nic nie robię, tylko leżę w łóżku.

Martynkę odwiedziła dziś cała klasa!

Wiwat witaminy!

W odzyskaniu dobrej formy pomaga mi mama, podając co rano szklankę świeżo wyciśniętego soku z pomarańczy. Pomarańcza, tak samo jak cytryna, czarna porzeczka, aronia czy kiwi, zawiera mnóstwo witaminy C. Dzięki niej walczę z chorobą. W dodatku nie sposób jej przedawkować. Dlatego warto jeść owoce przez cały rok!

Lekarstwa

Mogą zawierać zioła, sproszkowane owoce i inne składniki roślinne lub mogą być stworzone z substancji chemicznych. Leki mają pomóc organizmowi w walce z chorobą. Trzeba jednak przyjmować je bardzo ostrożnie, dokładnie tak, jak zalecił lekarz. Lekarstwo zawsze powinna podawać dorosła osoba, nie wolno po nie sięgać samemu!

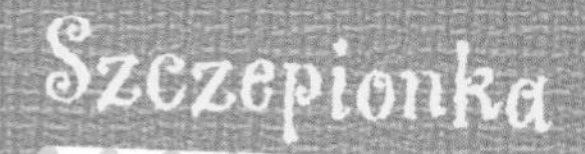

Szczepionka

To bardzo mała porcja zarazków wprowadzana do organizmu w zastrzyku, tabletce albo podawana jako krople do nosa. Organizm uczy się walczyć z tą chorobą, tworzy tzw. przeciwciała, i potem, gdy atakują go prawdziwe silne wirusy, potrafi się im przeciwstawić.

Odpoczynek

To dla mnie najlepszy sposób na powrót do zdrowia. Organizm może zająć się walką z chorobą, bo nie zmuszam go do wysiłku. To naprawdę działa!

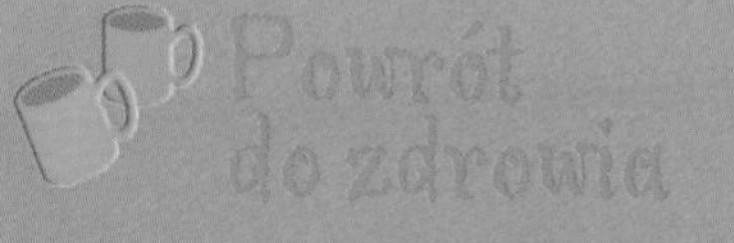

Powrót do zdrowia

Gdy choroba mija, od razu to czuję. Nie męczy mnie już gorączka, mniej śpię, mam siłę, żeby czytać, rozmawiać, żartować. Powraca mi apetyt. I niedługo będę mogła znów iść do szkoły.

Moje małe sekrety

Moje ciało jest bardzo mądre i potrafi bronić się przed chorobą, ale muszę mu w tym odrobinkę pomóc.

Mój piesek to prawdziwy siłacz.

Ojej, jakie to ciężkie!

UWAGA!

Po powrocie do domu z podwórka czy ze szkoły, po skorzystaniu z toalety i przed jedzeniem zawsze musimy myć ręce. To konieczne, by uchronić się przed atakiem mikrobów.

SPORT

Ruszam się, żeby być w dobrej formie. Kiedy uprawiam sport, oddycham głęboko, zmuszam mięśnie do wysiłku, a moje ciało staje się dzięki temu znacznie bardziej odporne. To znakomity sposób, by tryskać energią i zdrowiem nawet w deszczowe lub mroźne dni.

Higiena jest naprawdę bardzo ważna.

Mydło

Do porządnego mycia niezbędne jest mydło. Wyłapuje ono z brudu cząsteczki tłuszczu i razem z nim tworzy pianę, którą potem spłukuje się wodą. Jeśli chcemy zmyć bakterie ze swoich dłoni, koniecznie szorujmy je wodą z mydłem przez co najmniej 30 sekund.

JEDZENIE

Oczywiście, jem to, co lubię. Staram się jednak, by moja dieta była odpowiednio zbilansowana, czyli żeby niczego nie było w niej za dużo i niczego za mało, i by znalazły się w niej różnorodne produkty.

Światło słoneczne jest niezbędne dla zdrowia. Dzięki niemu w organizmie powstaje witamina D. Wychodzę na dwór, kiedy tylko mogę.

Witaj, wiosno!

Śmiech to zdrowie

Śmiejąc się, oddychamy głębiej i nasz organizm jest dzięki temu lepiej dotleniony. Porusza się też wiele mięśni, w różnych częściach ciała, śmiech działa więc jak doskonały masaż. Układ odpornościowy pracuje lepiej, a organizm wytwarza endorfiny, nazywane hormonami szczęścia.

Na ogół mam piękne sny.

SEN

Dziadek powtarza, że sen jest najlepszym lekarstwem. Kładę się więc dość wcześnie, nie tylko wtedy, kiedy coś mi dolega. Wchodzę pod kołdrę, przykrywam się i głęboko oddycham, myśląc o różnych miłych rzeczach. Nie chcę przecież, żeby przyśniły mi się koszmary.

W serii:

Moje czytanki
Martynka

Moje czytanki
Martynka
W zoo

Moje czytanki
Martynka
W górach

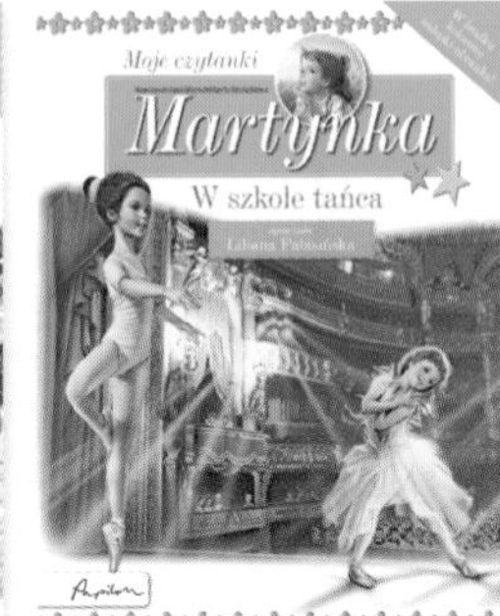
Moje czytanki
Martynka
W szkole tańca

Troskliwa opiekunka

Kochana mamusia

Wizyta doktora

Moje czytanki
Martynka
Nauka jazdy konnej

W szkole

Moje czytanki
Martynka
Nad morzem

KU-197-728

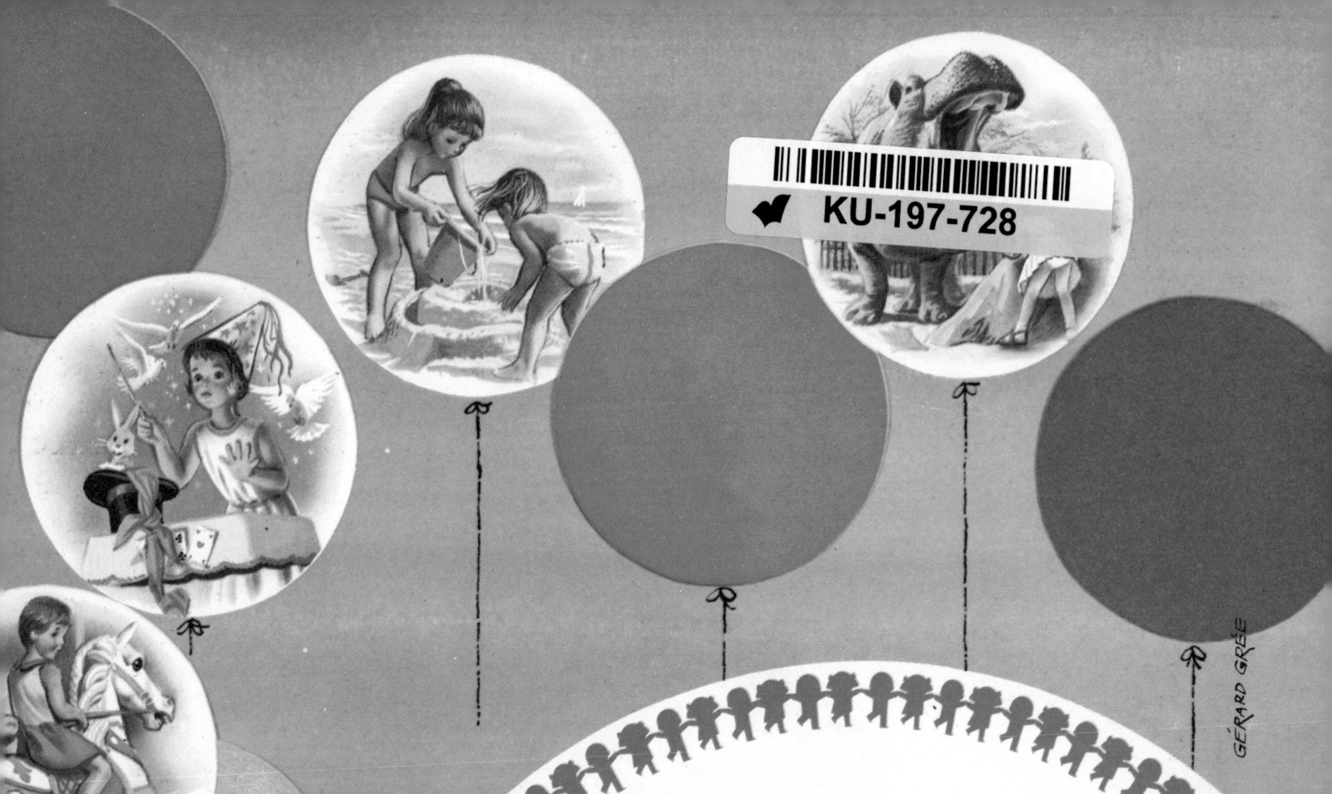

GÉRARD GRÉE

Martine
au cirque

GILBERT DELAHAYE - MARCEL MARLIER

La collection FARANDOLE est publiée en :

Afrikaans :	WARD LOCK,	Cape Town	*Islandais :*	FJÖLVI,	Reykjavik
Allemand :	SCHREIBER,	Esslingen	*Italien :*	LA SORGENTE,	Milan
Américain :	HART,	New York	*Macédonien :*	KULTURA,	Skoplje
Anglais :	WARD LOCK,	Londres	*Néerlandais :*	CASTERMAN,	Doornik-Utrecht
Catalan :	JUVENTUD,	Barcelone	*Norvégien :*	DAMM,	Oslo
Croate :	MLADOST,	Zagreb	*Portugais :*	VERBO,	Lisbonne
Danois :	HOLST,	Copenhague	*Roumain :*	TINERETULUI,	Bucarest
Espagnol :	JUVENTUD,	Barcelone	*Serbe :*	FORUM,	Novi Sad
Finlandais :	OY PALETTI,	Helsinki	*Slovène :*	JUGOREKLAM,	Ljubljana
Grec :	PAPADOPOULOS,	Athènes	*Suédois :*	LINDQVIST,	Stockholm
Hébreu :	PICTURES CENTRE,	Tel Aviv	*Turc :*	SÜMER YAYINEVI,	Istanbul

ISBN 2-203-10104-0

© CASTERMAN 1956 – Droits de traduction et de reproduction réservés pour tous pays.
D

C'est la nuit. Dehors, les étoiles brillent, les fleurs se reposent, les arbres dorment. Dans la chambre de Martine, les jouets sont rangés. La poupée s'ennuie. L'ours en peluche et le lapin bâillent. Dans son lit, Martine fait un rêve extraordinaire. Elle rêve qu'elle travaille dans un cirque avec des clowns, des chevaux, des éléphants et des lions.

Dans le cirque de Martine, on a invité les élèves de toutes les écoles. Il y en a jusque tout en haut, près des musiciens.

Lorsque tout le monde est assis, on allume les lumières : la blanche, la rouge, la bleue, et Martine s'avance au milieu de la piste. Elle n'a pas peur du tout. Elle salue à droite, puis à gauche et dit :

— Mes chers amis, la séance va commencer.

Tout d'abord, voici les clowns Pif et Paf.

— Bonjour, Martine. Comment s'appelle ta poupée ?

— Elle s'appelle Françoise. Elle marche toute seule. Elle rit et elle pleure.

— Eh bien ! dit Pif, je vais lui raconter l'histoire de l'éléphant qui a perdu ses oreilles en se baignant dans la rivière.

Lorsque Pif raconte l'histoire de l'éléphant qui a perdu ses oreilles, les musiciens du cirque cessent de souffler dans leur trompette. Les singes dansent de plaisir dans la ménagerie. L'ours rit tout seul et balance la tête sans rien dire. A-t-on jamais vu clown aussi drôle ?

Même derrière le rideau des coulisses, le dompteur, le nain et le cow-boy écoutent l'histoire de Pif. Elle est tellement amusante !

Pif a terminé son histoire. Vite Martine va changer de costume dans les coulisses. Là il y a des robes, des chapeaux, des rubans et Martine s'habille comme il lui plaît.

Dans les coulisses, Martine retrouve son chien Patapouf. Patapouf aime bien le sucre, mais il préfère marcher sur deux pattes et rouler à bicyclette.

La bicyclette de Martine est toute neuve. Ses rayons brillent comme un soleil. Martine en est très fière. Son papa, qui est équilibriste, la lui a achetée pour son anniversaire.

Quand Martine roule autour de la piste avec son chien Patapouf, les enfants applaudissent si fort que Patapouf n'ose même plus tourner la tête.

Après la promenade à vélo, la partie de patins à roulettes.

Patapouf voudrait bien rouler sur le plancher de la piste avec les patins de Martine. Mais il paraît qu'on n'a jamais vu cela, même au cirque.

— Cela ne fait rien, se dit-il. Cette nuit, quand Martine dormira, je vais essayer. Et, foi de Patapouf, je parie que je réussirai.

Martine sait aussi faire danser les chevaux du cirque : le blanc et le noir. Le blanc s'appelle Pâquerette, le noir, Balthazar.

Les chevaux de Martine marchent au son du tambour comme les soldats. Ils saluent de la tête et Martine les appelle par leur nom, tant ils sont polis et bien éduqués.

A l'entracte, pendant qu'on prépare la piste, Martine vend des friandises. Elle porte une casquette et un uniforme avec des galons.

Un petit garçon lui demande :

— Martine, donne-moi du chocolat aux noisettes, du nougat et un sucre d'orge.

— Voilà un petit garçon bien gourmand!... pense Martine en lui donnant un bâton de nougat.

Quand tous les enfants ont goûté les bonbons de Martine et qu'ils ont été à la ménagerie admirer les tigres, les lions et les ours, on tend un fil de fer au-dessus de la piste.

Soudain un roulement de tambour. Puis un grand silence. Martine se met à danser sur le fil. Avec ses chaussons blancs et son ombrelle, elle est aussi légère qu'un papillon. On dirait qu'elle va s'envoler. C'est une vraie danseuse!

Après quoi, Martine appelle Trompette l'éléphant.

— Voilà, voilà, qu'y a-t-il? répond l'animal sans se presser.

— Comme tu es en retard! Nous avons juste le temps de faire une promenade ensemble.

— C'est que, voyez-vous, Mademoiselle, j'ai emmené mon bébé avec moi. Et, vous savez, il ne tient pas fort sur ses jambes.

Le cirque de Martine a fait deux fois le tour du monde. On l'appelle le « Cirque Merveilleux ». Les grandes personnes s'imaginent que c'est un cirque tout à fait comme les autres. Cependant on raconte qu'une fée le suit dans tous ses voyages.

Et devinez qui a donné à Martine la baguette magique avec le chapeau, le lapin, les pigeons et les foulards ?

C'est la fée du « Cirque Merveilleux ». Mais il ne faut pas le répéter à n'importe qui.

Voici que les clowns Pif et Paf ont changé de costume. Personne ne les reconnaît. Pif porte un habit couvert de diamants. Paf a mis son pantalon rayé, sa nouvelle cravate et ses chaussures de trois kilomètres.

— Nous allons jouer de la musique, dit Pif.

— Pour Martine et tous nos amis, ajoute Paf.

— Bravo! bravo! crient les garçons sur les bancs.

Martine aime beaucoup les lions. Sans hésiter elle entre dans leur cage. Comme ils sont paresseux ! D'un coup de fouet elle les éveille.

— Debout, Cactus. Allons, mettons-nous au travail... Caprice, à votre place. Ne voyez-vous pas qu'on vous regarde ? Mon petit doigt me dit que vous vous êtes encore disputés aujourd'hui. Comme punition, vous allez vous asseoir sur ce tabouret.

Maintenant la séance est terminée.

— On s'est bien amusés? demande Martine.

— Oui, oui, fait-on de tous côtés.

— Nous allons démonter le cirque. Nous partons dans une autre ville.

— Puisque tu nous quittes, voici un bouquet de fleurs, dit un garçon. Et un ruban pour Patapouf.

Après la séance, Martine rejoint son ami Martin
Quand Martine demande à Martin :

— Quoi de neuf ce soir?

— Hélas! répond l'ours en dépliant son journal, je ne sais pas lire.

— Mon pauvre Martin, il faudra que je t'apprenne l'alphabet!

Donc Martine, Martin et Patapouf vont continuer leur voyage autour du monde avec le cirque. On se bouscule pour les voir partir. Tous les amis de Martine applaudissent. Cela fait tant de bruit que Martine se réveille. Elle se retrouve dans son lit, entourée de sa poupée, de son ours et de son lapin. C'est le matin. Adieu le Cirque Merveilleux! Vite, il faut se débarbouiller pour aller à l'école...

Imprimé en Belgique par Casterman, S. A., Tournai.
D. 1974/0053/111.